ルポ つながりの経済を創る

工藤律子
Kudo Ritsuko

ルポ
つながりの経済を創る
スペイン発「もうひとつの世界」への道

岩波書店

はじめに――「分断社会」を抜け出す

テレビ番組でたまに、有名人が、すでに何十年も会っていない幼馴染や初恋の人など、ずっと印象に残っている人と再会できる、という企画がある。私は有名人ではないが、もしそんな企画で「再会してみたいのは誰ですか」と聞かれたら、迷わず小学生時代に仲が良かった、自分とはまったく違うキャラクターの同級生の名を挙げるだろう。一九七〇年代、四国の田舎の公立学校に通っていた私の周りには、実にいろいろな家庭環境にいる、成績も性格もバラバラな仲間がいた。五、六人でグループになり、机をつき合わせて勉強した教室では、私のグループにいつも、なぜか悪ガキどもが揃っていた。その悪ガキこそが、私が「再会してみたい」人間だ。

高校受験までは成績で振り分けられることがなく、暮らしている地域の多種多様な子どもたちが集った学校は、記憶に残る人づきあいに恵まれた場所だった。異なる個性を持つ者たちがともにのびのびと過ごしていた分、印象的で驚くようなことがたくさん起きたからだろう。入試のある高校進学以降、そうした刺激がぐんと減った気がする。

日本では、今、教育の場においてはもちろん、社会のあらゆる場面で、人の分断と孤立化が進んでいる。既存の資本主義の社会において、私たちは、子どもの頃から、「効率的に」働く人間を創ることを目指す経済と政治の意図によって、「能力」で分けられてきた。政府は、「個性を伸ばす」「インクルーシブな」教育を、と言いながら、実際には本来多様な人間を、市場経済の論理でグループ分けしている。「障がい者」というグループに入れられた子どもたちの教育においても、その中で「より能力がある」と見なされた子には、企業が雇いやすくなるようなスキルを身につける職業訓練的な教育を提供し、そこに当てはまらない子どもたちは別枠に押し込める。一人ひとりの人格や個性を尊重し育てるのとは、程遠い状況だ。

そうして大人になれば、今度は仕事内容や収入、生活水準などで振り分けられ、人はどんどん分断されていく。互いに無関心な存在にされていく。外国からの移住者や労働力としての短期滞在者も、例外ではない。彼らも日本の経済と政治の都合に則った「能力」で色分けされ、日本人が敬遠する仕事を最低賃金以下の給金で担う貧困生活を強いられるか、高度な技能を持つ高所得者として、日本人も「能力」を認める人間らしい暮らしを楽しめるかが、決められていく。

そんな社会のありようが、私たちから人間としての自由や権利を少しずつ奪い、視野を狭め、孤独にし、追い詰めている。景気は回復した、求人は増えた、若者の就職率は上がった、といわれる時でさえ、将来に「希望」を感じられない空気にさほど変わりはない。正規雇用を得た若者ですら、その多くが就職理由を「採用してくれたから」「安定してそうだから」などと話す。その言葉に、未来への前向きな意思は感じられない。かといって、希望を描ける社会を築くよう政治に要求するかといえば、そんなことは考えるだけ無駄だという諦めの方が強いのが、今の日本社会だ。この社会的閉塞感、生きづらさを解消するには、どうしたらいいのだろうか。

二〇一六年に出版した『ルポ　雇用なしで生きる――スペイン発「もうひとつの生き方」への挑戦』では、二〇〇八年の金融危機「リーマンショック」後の深刻な経済不況を機に生まれたスペインの市民運動「五月一五日《キンセ・デ・マヨ》運動（以後、15M《キンセ・エメ》）」と、15Mを出発点に政治や経済、社会のあり方を問い直すスペインの市民の闘い、彼らが関心を寄せる「社会的連帯経済」（本書の第Ⅲ章でも説明）の取り組みを紹介した。そして、スペインにおける社会変革の息吹を伝えた。本書では、その後、どんな市民政治が展開されているのかを含め、あらゆる場面において、市民のつながりによって新しい社会を追求するスペインの人々の経験を追い、その中に、私たちが分断社会を抜け出し、生きる幸せと希望を抱ける未来を築くためのヒントを、探しに出かけよう。

フランス
バラカルド
カンタブリア
バスク
アストゥリアス
ガリシア
ナバラ
ラ・リオハ
ウロット
ジローナ
サラゴサ
カタルーニャ
カスティーリャ・イ・レオン
バルセロナ
アラゴン
マドリード
マドリード
ポルトガル
バレンシア
バレンシア
エストレ
マドゥーラ
カスティーリャ-
ラ・マンチャ
バレアレス諸島
地中海
コルドバ
ムルシア
セビリア
グラナダ
アンダルシア
マラガ
ジブラルタル海峡
セウタ
アルジェリア
メリージャ
カナリア諸島
モロッコ

目次

カバー・本文中写真／篠田有史

エルタ・デル・ソル広場に集まった市民.

I

「変革」を担う市民

2012年の15M一周年，マドリードでのデモの終着点，プ

「もういい加減、真の民主主義を！」

そんな叫びで始まった二〇一一年五月一五日の市民デモは、その後のスペインの政治と社会を大きく変えた。二〇〇八年のリーマンショックに端を発する経済危機に対し、当時の中道右派・国民党（PP）政権は、大企業や銀行の救済を優先し、その財源を教育や医療保健、社会福祉政策の予算削減に求めた。これに大きな怒りを抱いた市民が、全国各地の主要都市で大規模なデモ行進を繰り広げ、街の中心広場に集った。この抗議運動への参加者は、合わせて五〇万人を超えたといわれ、それが市民運動「15M（五月一五日運動）」の始まりだった。

15Mに参加した市民は、メディアから「怒れる者たち（Los indignados）」と名付けられた。彼らは、政府に抗議するのと同時に、既存の政治や経済の仕組み、生活スタイルなどにさして疑問を持たなかった自身のありようについても、考え始める。政治が国民を置き去りにする現実や、金融危機という一見自分には関係がないように見える経済問題が生活を一変させてしまうという事実は、何を意味しているのか。本当に幸せに生きられる社会を望むのであれば、人任せにせず、自らが理想の政治や経済のあり方を考え、築き上げていかなければならないのではないか。政治屋や経済界に任せきりでは、また必ず痛い目に合うに違いない。市民が変革を担わなければ、社会はよくならないのだ。そう気づいた人たちが、市民政治を創り始めた。

1 「怒れる者たち」の今

市民運動15Mの誕生から三年後の二〇一四年一月には、15Mの精神を受け継ぐ形で、真の民主主義の実現を目指す市民政党「ポデモス(私たちはできる。Podemos)」が誕生した。マドリード市にある名門コンプルテンセ大学の政治学教授で、左派系テレビ討論番組の司会者として名の知られていたパブロ・イグレシアス(当時三五歳。現党首)を中心に、物理学者、俳優、詩人、教員、ソーシャルワーカーなど、プロの政治家ではない人が政治に参加することで、市民の声を直接、政策に反映しようという挑戦だ。彼らはまず、一四年五月の欧州議会選挙でいきなり五議席を獲得し、世間を驚かせる。翌一五年一二月の国内総選挙では、六九議席を得て第三党に。同年五月の地方議会選挙でも、ポデモス系の市民政党・政治組織が、マドリード市やバルセロナ市、サラゴサ市、バレンシア市などの主要都市の市政を担うことになった。

こうして、長く続いていたPPと中道左派・社会労働者党(PSOE)による二大政党政治は、終焉に向かった。と、ここまでの経緯の詳細は、前著で紹介した。その後、ポデモスは、左派「統一左翼(IU)」と選挙同盟を組み、「ウニーダス・ポデモス(団結すれば、できる。Unidas Podemos)」として選挙活動をしてきた。そして「怒れる者たち」の多くが、ポデモスやその理念を共有する市民

ポデモス党首パブロ・イグレシアス(中央左)とナンバー2で物理学者のパブロ・エチェニーケを囲む「ポデモス・マドリード若者サークル」のメンバー.(2016年5月,ポデモス春祭りにて)

政党・組織を通して政治変革を起こそうと試みるようになった。その一方で、15Mのような市民運動は、徐々に勢いを失おうとしているかに見えた。ところが――。

●立ち上がる女性たち

二〇一八年六月七日、スペインでは、与党PP内の大規模な汚職事件が発覚し、内閣不信任決議が可決されたことに伴い、PSOE新政権が発足する。新政権の売りは、「閣僚二〇人中一一人が女性」だ。当時の欧州で、女性閣僚の割合が最も多かった。男女格差や性差別に反対する女性たちの声は今、スペイン社会の中でぐんぐん力を増している。政界だけでなく、市民運動においてもそうだ。

二〇一八年三月八日の国際女性デー。スペイン全土で、女性を中心とする五三〇万人ともいわれる労働者による「二時間ゼネスト」が決行された。全国の都市の通りや広場は、男女同権を訴える計五〇万人を超える人で埋め尽くされた。加えて、四月二七日午後には、その日の朝出た「ラ・マナーダ(群れ。La Manada)」事件の判決に抗議する何万人もの女性たちが、各都市の中心広場に集まり、再び声をあげる。

「ラ・マナーダ」事件とは、二〇一六年、有名な牛追い祭り「サン・フェルミン」において、五人の男が一八歳の女性を集団でレイプした事件のことだ。被告人五人が自らのSNSグループに付けた名で、呼ばれることになった。地方裁判所は、彼らを強姦罪ではなく、「性的虐待」という、より軽い罪で禁固九年の刑に処した。「不当な判決」に憤った市民は、すぐさま「私はあなた(被害者)を信じる」というプラカードを手に街へ飛び出す。その後も、大勢の女性が「#Cuéntame(それ話そうよ)」というツイッターのハッシュタグで、被害体験など、真実の声を伝え続けた。

そして、翌二〇一九年の国際女性デーは、前年以上の盛り上がりを見せる。マドリード市だけで約三五万人が目抜き通りを練り歩き、バルセロナ市では約二〇万人、セビリア市やビルバオ市でもそれぞれ約五万人がデモを行なった。スペインの女性たちによる自らの権利を勝ち取る闘いは、少女から高齢者まで、スペイン人から移民まで、女性という女性を巻き込み、男性やLGBTQ(レズビアン、ゲイ、バイセクシュアル、トランスジェンダー=生まれた性と異なる性で生きる人、クエスチョニング=性自認や性的指向を定めない人、の頭文字)の支持も得て、勢いを増している。

同年六月、「ラ・マナーダ」事件を審議した最高裁判所は、地方裁判所の判決を覆し、被害女性の主張を認める形で、加害者五人に強姦罪による懲役一五年の刑を言い渡した。その判決を導き出したのは、通りで訴え続けた女性たちの勇気と信念だろう。市民政党だけでなく、市民運動もまた、その役割を失ってはいなかったのだ。

ちなみに、スペインの有力紙エル・パイースの調査によると、政党の中で、市民が最も男女同権を大切にしていると感じているのは、ウニーダス・ポデモスだという。

●変革は「通り」と「議会」で

「地域住民のための社会文化センターを運営しているんだよ」。

二〇一八年五月、久しぶりに電話をすると、ホセさん(五九歳)が元気な声でそう答えた。彼は一二年、15M一周年のデモで出会った友人で、マドリード市内のラ・コンセプシオン地区、通称ラ・コンセの15M住民議会(各地区の「怒れる者たち」の集まり)の中心メンバーだった。一五年の地方議会選挙の際は、その住民議会の仲間たちとともにポデモスの下部組織「シルクロ・デ・ポデモス(ポデモス・サークル。Círculo de Podemos)」に入り、選挙運動に参加。マドリード市議会選挙では、人権派の弁護士、判事として知られるマヌエラ・カルメナを市長候補として、ポデモスを含む左派政党・組織を結集した市民政党「アオラ・マドリード(今こそマドリード。Ahora Madrid)」を応援した。その頃は、「15M住民議会は休んで、ポデモスの応援に専念だ」と話していたが、一八年は違った。

「支持する政党はポデモスだけれど、15M住民議会の活動もまた活発化しているんだ。一六年二月にできた僕たちの文化センターに来てみるかい?」

夕方、マドリード市の闘牛場近くにあるラ・コンセに行ってみると、裏通りの角に太陽が描かれ

地域住民が運営する文化センター，エル・ソル・デ・ラ・コンセの月例運営会議で議論する人々．

た「エル・ソル・デ・ラ・コンセ（ラ・コンセの太陽。El Sol de La Conce）」という看板が下がっていた。センター名は、マドリード市中心にあるソル（太陽）広場、15M運動発祥の地を意識して付けられている。

待ち合わせたホセさんは、警備員の仕事が長引いているのか、まだ来ていないようだったが、中では数人の男女が椅子に座って雑談をしていた。通りに面したガラス戸には、市民が企画したセミナーのチラシが貼られ、ドアには一週間のスケジュール表も掲げられている。映画上映会、フェミニズム討論会、移民のためのスペイン語教室、有機野菜園、物々交換市……。

眺めていると、「おー、久しぶり！」と感嘆の声を上げながら、見覚えのある顔が近づいてきた。ホセさんの15M住民議会仲間で、図書館司書のロベルトさん（五四歳）だ。

「よく来てくれたね！　どうだい、僕たちの新しい活動拠点は？」

彼によれば、センターは15M住民議会で知り合った者たちが中心となって始めたもので、地域に社会的、文化的活動を広めるための拠点だという。

「二〇一五年の地方選挙と国政選挙の時は、15Mの仲間たちが、政治を変えるためにポデモスという場を利用しようと考える者と、あくまでも政党政治とは別の枠組みで闘おうという者とに分かれてしまった。でも、それから一年ほど経った頃に皆、気づいたんだ。世界を変えるにはやはり、政党活動と通りに繰り出す市民による圧力、両方が必要なんだと」。

15M住民議会の仲間三〇人ほどがお金を出し合って、安く貸してもらえるスペース(店舗)を探し、このセンターを開いたという。不況の中、店舗のオーナーも、商店主に賃貸してもすぐに経営難に陥り、何度も借り主が変わるため、「それなら地元民に安値で貸そう」と考えたらしい。おかげで、五〇平方メートルの地階と一階の二階建てスペースを、月四〇〇ユーロ(約五万二〇〇〇円)で借りることができた。内装は自分たちでペンキを塗り、家具やカーテン、本などを持ち寄って創り上げた。

「ここでは毎月一回、皆で話し合って活動内容を決めるんだ。運営費の確保の仕方もね」。

現在まで、運営費は利用者のカンパと飲み物の売り上げで賄っている。

「ここの冷蔵庫には、僕たちが買ってきたビールやソフトドリンクが入れてあって、飲んだら料金を貯金箱に入れるシステムになっている。バルより安いから、結構利用されているよ」。

説明しつつ、ビールを勧めてくれる。しかし、それだけでは運営費のすべては賄えないだろう。

「実は家賃の一部は、マドリード市から助成してもらっているんだ」。

●市民参加型予算

マドリード市は、市民による社会活動に助成金を出している。加えて一六年からは、「市民参加型予算」を導入した。これは現在、スペイン各地の市政を担う市民政権が積極的に取り入れている予算決定の仕組みで、一九八九年にブラジルのポルト・アレグレ市で初めて実施されたものだ。変革を求める市民の支持で一五年六月に政権に就いた市民政党アオラ・マドリードは、毎年、市予算のうち一億ユーロ(約一二〇億円)の使い道を、市民の提案の中から投票によって決めることにした。

マドリード市のウェブサイトには、「一億ユーロで市がどんなプロジェクトを実施すべきか、あなたが決めてください」と書かれた「デシーデ・マドリード(マドリードを決めよう。Decide Madrid)」というコーナーが作られた。そこには、市の住民個人やグループが、マドリード市内二一区それぞれの地域のために提案する「区プロジェクト」(全予算の七割)と、市全体のために提案する「市プロジェクト」(全予算の三割)が並んだ。その内容をみて、市民が審査、投票するわけだ。区プロジェクトの場合は、各地区で開かれている「区民討論会」から生まれたものもある。プロジェクトの中身は、公共自転車置き場を作る、町角で起きる女性への差別行為や性的虐待に関する調査を行なう、道路や公園を整備するなど、さまざまだ。

一八年度のプロジェクト(一八年後半から一九年にかけて実施)で最も支持を得たのは、マドリード市内の市立スポーツセンターの屋根に太陽光パネルを設置する、というものだ。一住民からの提案で、面積の広い屋根を持つ公共施設には、できる限りパネルを取り付けて、再生可能エネルギー利用を推進するよう訴えていた。マドリード市民は、大気汚染を気にかけており、持続可能な都市の設計を求めている。その結果、一九年一二月時点で、五つのセンターへの設置が進行中で、ひとつはすでに設置を完了していた。これは前年度、市北東部のオルタレサ地区の区議会場の屋根に太陽光パネルが設置されたことを受けての提案だった。

二番目に支持を得た「公立学校や公共施設を利用して、無料の音楽学校を開く」は、すでに一四カ所で実施されており、参加したいが遠くてアクセスが悪いといった市民には、交通費援助なども用意されている。

ほかに、LGBT差別に関するワークショップを学校で行なう、という案も選ばれた。提案者は、「マドリードはゲイ・フレンドリーな街だということになっているが、現実には、昨年だけでも差別による暴行事件が二九三件も起きている。しかも加害者の大半は、若者だ」として、教育現場での意識変革を説いた。その声が市民の賛同を呼び、一九年度の実施が決定したわけだ。

「デシーデ・マドリード」は、一八年六月、公共サービス分野で最も権威がある国際賞といわれる「国連公共サービス賞」を受賞した。世界七九カ国からノミネートされた四三七件の中から、最終選考に残った八つのプロジェクト・組織に入ったのだ。「市民が決定に直接参加できる、インクルーシブな公的組織を実現している」という評価を得た。一九年度(一九年後半から二〇年にかけて実施)のプロジェクト審査では、一六歳以上の市民約二八〇万人のうち、およそ八万人が投票に参加した。

市民参加を推進する政策には、市が計画している事業に関する「住民投票」もある。一七年度は、市内にある一二の広場の改修方法と、街のメインストリートのひとつ、グラン・ビアの工事計画について、市民の意見を求めた。

市民参加の話で盛り上がっていると、ホセさんがようやく駆けつけた。

「僕たちの新しい住民議会の場、気に入ったかい？」

遅刻に照れ笑いしながらも、少し自慢げに感想を求める。彼らのような変革を担う市民の活動を、市民政権が支えているという事実に感心しながら、「アオラ・マドリードの仕事ぶりをどう思う？」と尋ねてみた。

「マヌエラ（カルメナ市長）はよくがんばっていると思うよ」と、ホセさんが言う。ロベルトさんは、「一年目は、役人たちをどう動かすか学ぶために費やしたようだけれど、二年目からは市の借金を減らし、社会的事業により多くの予算をつぎ込むようになった。特に市民参加型予算や環境問題に関わる事業で、成果を挙げていると思う」と、持論を述べる。

●住民第一の市政

カルメナ市長の市政は、主要メディアの批判的論調とは裏腹に、市民の間ではスペイン主要都市の市民政権の中でも、最もクリーンで民主的な政治を実現しているという評判だった。財政面では、就任以来、常に黒字を維持し、前のＰＰ政権時代の借金を五割強減らした。マドリード市は、未だ全国で最も国に対する借金の多い都市だが、アオラ・マドリードが政策を継続できれば、三〇年までにすべての借金を解消できるといわれた。また、これまでの政権と異なり、カルメナ政権が積極的に予算をつぎ込んだのは、住宅や教育など、市民生活に深く関わる政策だった。

政権四年間に、社会的住宅(安い賃料で住める公的住宅)を四〇〇〇軒造ることを目標とし、三三七七軒が建設途中という状態で、一九年六月政権を退くこととなった。初等教育の予算はおよそ二割増額し、持続可能な町をつくる政策も積極的に実施した。たとえば、飲食業者がマドリード市と何らかの契約をする場合、用いる食品の最低一種類をフェアトレード商品にしなければならないという規則を作った。また、市の事業に携わる業者の選択は、経済性よりも「労働者に妥当な賃金、待遇、必要な訓練を提供しているかどうか」を重視した形で行なう、と定めた。

電力に関しても、一八年四月、市は再生可能エネルギー一〇〇%の電力会社としか契約しないと決議する。三〇年までに温室効果ガス排出量を四〇%削減するという二〇一五年の「パリ協定」での欧州連合(EU)の目標を達成するための行動を示した。

党名を「マス・マドリード(もっとマドリード。Más Madrid)」に改名して臨んだ一九年五月の地方議会選挙において、カルメナは再び大勢の市民の支持を得て一九議席を獲得し、第一党となったが、残念ながら政権を継続できなかった。連立を組める唯一の相手であるPSOEの八議席と合わせても過半数を取れず、逆に一五議席のPPが一一議席の新興右派政党シウダダーノス(Cs)や、PPを離れたメンバーが創った極右政党ボックス(VOX。四議席)と手を組み、過半数を確保して、政権を取ったからだ。変革を後押ししてきた市民にとって、心底悔しい結果だった。

これに対して、カルメナ市政と並び、住民の暮らしを第一に考えることで定評があり、一五年からの四年間に続いて一九年からも政権を受け持つことになったのが、バルセロナ市のアダ・コラウ市長率いる「バルサロナ・アン・クム(皆のバルセロナ。Barcelona en Comú)」政権だ。コラウ市長は、15M当時、「怒れる者たち」の間で、市民組織「住宅ローン被害者のためのプラットホーム(PAH)」代表としての活動で、注目されていた。一五年の市議会選挙で、バルサロナ・アン・クムを率いて勝利し、市政を担うことになる。

バルサロナ・アン・クムは、アオラ・マドリード同様、複数の左派政党・組織で構成されている。だが、一五年当時は、PSOEと組めばPPとCsの保守派二党を抑えて過半数がとれたアオラ・マドリードと異なり、どの党の支持を取り付けるか、常に悩まなければならなかった。七つの政党が入り乱れる市議会四一議席中、一一議席しか持たなかったからだ。それでも住民の声を汲み上げ、「下から動かす」市政を実現するために奮闘する。

その要となる「住民参加と地区問題」を担当した議員、ガラ・ピン(三六歳)は、コラウ市長と同じくPAHの活動家だった。一六年のインタビューでは、新人政治家として、「権力は政治体制内だけでなく外にもあり、特に経済的権力は誰よりも町を支配する力を持つという現実を知った」と、その驚きを表現した。

議員活動四年目を迎えた一八年にも、ガラは、役所の官僚主義には慣れない、と苦笑していた。「役所のような公的機関の構造は、一八世紀に考案されたもの。時とともに進化してきたとはいえ、二一世紀の複雑な社会状況に対応するものではありません。その仕事ぶりは、まるでデジタル時代の世間一般とは別の暦で動いているかのように、スロー。この三年間で学んだのは、そんな現実を市民に十分理解してもらい、政策遂行に協力してもらえるよう努力する必要がある、というこ

コラウ市長と同じ NGO の社会活動家でバルセロナ市会議員を務めたガラ・ピン.

とです」。

ガラにとって重要なのは、真の変革に必要な時間を、市民とともに確保、共有し、市民が望むプロジェクトに取り組むことだ。特に力を入れているのは、「アル・プラ・ダ・バリス（地区計画。El Pla de Barris）」。バルセロナ市内計一〇区に属する七三の地区で、未解決の重要問題は何かを住民と話し合い、一緒に解決していく、という政策だ。この政策により、三七〇を超える事業が行なわれたと語る。

「たとえば下町では、歴史的建造物を利用して、区民図書館を作って欲しいという要望がありました。しかし、前政権は、そこに観光目的のウディ・アレン博物館を作ろうとしていたんです。私たちは、改めて住民と話し合い、その要望に合わせた図書館を作りました」。

都市計画専門家の知人が「ガラとともに、空き地を公園に変える地区計画に携わり、とてもやり甲斐があった」と話している、と伝えると、「あれはいい取り組みでした」と、笑みを浮かべる。

「旧市街のローマ城壁の側にある空き地を、市は、観光客が城壁を眺めるためのコンクリート造りの広場にしようとしたんです。その隣りには校庭のない小学校があったので、住民は子どもたちが運動したり、遊んだりできる公園にしたいと考えていました。そこで私たちは、あなたの知人や住民たちと、どんな公園にするか話し合い、実現したんです」。

「地区計画」以外にも、コラウ政権は、社会的住宅の確保や、協同組合への支援を通じて社会的連帯経済を推進する事業に、尽力してきた。また、自転車専用道の増設や観光開発の制限などにより、住民の暮らし第一の持続可能な町づくりも進めている。が、少数与党で、かつ州議会が独立問題で混乱する中、実現できなかった政策もある。

「市議会で可決できなかった重要な議案は二つ。ひとつは、路面電車の二つの路線を繋ぐこと。もうひとつは、住民投票です。新しくできた市民参加条例に従えば、市民生活に関わる政策については、一定数の署名を提出すれば、住民投票ができるはずでした。が、(民営化されている)水道事業の公営化を問う住民投票の実施を要求する署名が議会に提出されたのに、事業に利権を持つ他党の反対で、実現しませんでした」。

住民第一の政策を浸透させるには、一期四年以上の時間と経験、市民との協働が必要だと言う。

「変革へと歩み続けられるかどうかは、私たちを含む、市民の手に委ねられています。人々が、選挙でただ行政の頭をすげかえるのではなく、権力に対して忍耐を持って圧力をかけ続ければ、前進できるでしょう」。

ガラの思いは通じ、コラウ政権は一九年六月から二期目に入った。だが今回もまた、一党で過半数をとれなかった分、前途多難な船出となった。特に、ここ数年間のカタルーニャ独立問題の再燃と激化は、バルセロナ市議会にも大きな影響を与えている。議席数こそバルサロナ・アン・クムと同じ一〇議席だが、得票数では彼らを上回った独立派のカタルーニャ共和主義左翼（ＥＲＣ）や、やはり独立派で五議席を持つジュンツ・パル・カタルーニャ（JuntxCat）の存在は、独立自体は支持していないバルサロナ・アン・クムに、市民のための政治を実行していくうえでの繊細なバランス感覚を要求している。一八年秋、「次は議会ではなく、また〝通り〟で活動しようかしら」と話していたガラは、比例代表のリストの補欠には入っていたが、事実上、議員職を退いた。今度は再び「通り」での活動を通して、活動家時代からの同志アダ・コラウを支える。

なお、バレンシア市やカディス市でも、市政を握る市民政党は、二〇二三年までの四年間、更に市民の声を政治に反映するべく、闘い続けることになった。

●市民政党ポデモスの試練

マドリード市やサラゴサ市のように、一五年の選挙ではポデモス系の市民政党が勝利したにもかかわらず、一九年には政権を失ってしまった市町村が出た原因のひとつは、ポデモスの内部分裂の問題だろう。ポデモス支持の友人たちはそう考える。以前から、「党首パブロ・イグレシアス派（左派）」、「若手リーダー、イニゴ・エレホン派（中道左派）」、「反資本主義派（極左）」に分かれていたポデモスだが、もともとは違いをうまく取りまとめることのできる、懐の深い集団だった。ところが、イグレシアスの言動が左へ偏りはじめ、IUと選挙同盟を組むようになってからは、国政に携わるメンバーの間に不協和音が広がり始めた。やがて、支持者の間で人気のあるイニゴ・エレホンが、党を出て、マドリード(前)市長であるマヌエラ・カルメナらとともに「マス・マドリード」をつくり、一九年の地方議会選挙ではマドリード州議会選・市議会選を「マス・マドリード」として戦うことになる。こうした動きは、マドリード市・州ではもちろん、全国でポデモス支持者の間に混乱を巻き起こした。

加えて、カタルーニャ独立問題で曖昧な立場を取ったことも、失望感を与えたと考えられる。そこへ極右政党VOXが出現したことで、ファシスト、フランコによる独裁(一九三九~七五年)の悪夢を思い起こした市民の多くが、政権の右傾化だけは阻止しなければと、手堅く、強固な支持基盤を持つ中道左派のPSOEにこぞって票を投じた。アンダルシア州議会ではすでに、長年政権を守ってきたPSOEが支持を減らしたために、PP、Cs、VOXの連立政権が誕生していたからだ。

結果として、一九年は、四月の国政選挙と五月の地方選挙の両方でPSOEが票を伸ばし、下院議会では三八議席増やして第一党になり、ポデモスは二九議席減らして第三党から第四党に転落した。一方で、第一党だったPPは、一八年五月後半に党元幹部らを含む党関係者二九人が汚職で有罪となったことがたたって、七一議席も減らして第二党に後退した。

こうしてスペインでは、汚職事件を受けてPPのラホイ首相不信任決議案が採択された一八年六月以降、PSOEの政権が維持され、その党首ペドロ・サンチェスが首相を務めてきた。しかし、一九年四月の選挙後の首班指名において過半数を取れなかったために、政局は混迷を極める。そして、一一月、サンチェス政権は再選挙に望みを託したが、結果は最悪のものだった。激化するカタルーニャ独立運動に不安を抱いたのであろう保守層が、極右VOXに票を投じ、彼らを国政第三党に押し上げてしまったのだ。

危機感を抱いたPSOEとウニーダス・ポデモスは、右派の台頭を阻むべく、連立政権樹立を目指して合意形成を進める。合意の中身には、最低賃金の引き上げや高所得者層への増税、反性暴力法、二〇五〇年までに電力を一〇〇%再生可能エネルギー化することを含む気候変動対策などが含まれている。

そして、二〇二〇年一月、ついにサンチェス首相指名が実現し、連立政権が誕生した。

ただし、首班指名投票で過半数をとるために、カタルーニャ独立派政党ERCに棄権を依頼する取引材料として、事実上、カタルーニャ独立に関する住民投票実施を認めた。保守派と真っ向から対立するこの問題をはじめ、下院議会で過半数を持たない政権の前途は多難だ。が、少なくとも、欧米全体の流れと同様に「自国民ファースト」で対立を煽る保守層ではなく、市民参加と対話を重んじる市民政党支持者の思いを汲む政権が成立した意味は、大きい。

二〇一九年の選挙を巡る出来事は、市民政党ポデモスに、大きな教訓を与えただろう。

さまざまな市民の声を聞き、そこから政策を導き出して議会に届け、政治に反映してこそポデモスは、市民政党としての使命を果たせる。リーダーのイデオロギーの違いによる分裂などに揺れているようでは、話にならない。この自覚を持って政権に入った時、「怒れる者たち」の政党としてのポデモスは、再び存在感を取り戻すことだろう。

2

わが町を変える

二〇一九年四月の国政選挙の際、ポデモスは、ある意味「なんとか踏みとどまった」感があった。というのも、支持者の間では、もっと議席を減らすのではないかという不安がささやかれていたからだ。幸いにもその予想が外れたのは、投票四日前と五日前のテレビ党首討論会で、イグレシアスが、ほかの野党候補者と異なり、他党の党主を攻撃するのではなく、マニフェストに沿った誠実な議論を展開したからだと、考えられた。

スペインの有権者にとって、選挙直前にテレビで放映される党首討論会を視聴することは、ひとつの習慣だ。政治家にとっては、市民の声を汲み取り、それを反映した政策をていねいに有権者の心に届く言葉で語ることが、とても重要となる。有権者は、その言葉の中身をきちんと判断して投票することに高い関心を寄せている。それこそが、「生活と権利を守るために民主主義は不可欠」であること、「民主主義の基本は市民参加」であることに対する、日本人とスペイン人の認識の差だろう。

市民参加を重んじる意識は、15M以降、投票に行くだけでなく、ポデモスの国会議員やポデモス系市民政党の市議会議員たちのように、「自らが政治に携わる」市民を生み出した。大都市ではない人口数万の町でも、この市民参加は広がった。ポデモスを支持し、その呼びかけに応えて二〇一五年春、町議会選挙で初めて政治の世界に飛び込んだ「市民議員」たちは、任期の四年間、わが町を変えるために闘い続けた。彼らを応援する市民も、あらゆる角度から社会変革を模索している。

●われらが町議会議員の闘い

私たちがスペイン取材中いつも滞在するマドリード市郊外の町、メホラーダ・デル・カンポ(人口約二万)のわが友人たちは、二〇一五年六月から町議会に新風を吹き込んだ。

私たちがよく知るポデモス支持者の住民が集まってつくった町の市民政党「メホレモス・アルテルナティーバ・シウダダーナ(より良くしよう・市民オルタナティブ。Mejoremos Alternativa Ciudadana)」(略して、メホレモス)は、一五年の町議会選挙で二一議席中、五議席を獲得し、PPと並ぶ第二党となった。第一党は七議席を取ったPSOEだ。

「PSOEは、前与党PPと同じで、自分たちの利害に無関係なことは何もやらない。おかげで私たちが提案し可決された議案の大半は、まだ実施されていないのよ。どんなにいい政策でも、政権与党にその気がなければ、実行に移されないもの」。

一八年四月に再会した時、メホレモスの代表を務めるベアトリスさん(四二歳)は、そう憤りの声を上げた。会計士の仕事を休んで議員活動に専念する彼女にとって、一五年からの三年間は、既成政党の自己満足的な政治との格闘だった。メホレモスのほかの議員たち——看護師、有機農家、大学院生、環境活動家——も、同じ思いだ。とはいえ、やる気を失ったわけではない。

「私たちが出るまで、この町には〝野党〟が存在しなかった。でも今はある。それは大きな違いよ」。

メホレモスの提案により、以前は早い時間帯に開かれていた町議会は、午後五時開始となった。スペインでは、五時、六時までに仕事を終えて帰宅する人がかなりいる。だから、午後五時から九時、一〇時まで続く議会なら、住民も気軽に傍聴できる。開始時刻を変えただけでなく、議会のネット生中継という試みも始めた。そして、議会の終わりには毎回、住民が議員全員と話ができる時間を設けた。

町で増えている蚊をエコに防除するために，蚊を食べてくれるコウモリの小屋を造るメホレモスのメンバー．

月末の議会に足を運ぶと、メホレモスの議員たちが、与党の不透明な公金支出について追及していた。壁にはビデオカメラが設置され、ネット中継のための撮影をしている。

「一万二五〇〇ユーロの使い道が、正確にはわかりません。事業を請け負った業者の契約書や領収書の中身が示されないのは、前政権からの悪習です。それを変えるよう、要求したはずですが」。

ベアトリスさんが問いただすと、財政担当の与党議員が「違法な支出がないことは、はっきりしています。想定外の記録ミスがあることは事実ですが、それはどこの役所でもあることです」と開き直る。いい加減な答えに、野党は全員一致で「与党は、不当な支出がないことを法的に証明すること」を要求した。傍聴席の住民二二人も、あきれ顔だ。

型通りの議論を繰り返す既存政党の議員に対し、メホレモスの議員たちの発言は、一年前に傍聴した時よりも説得力が高まっていた。町政の問題点を、事実調査に基づいて議論できるようになったことが大きいだろう。町役場によるゴミの不法投棄の現場を押さえ、写真を提示しながら、改善を訴える。

「私たちの訴えにより、不法投棄していたゴミを業者に回収させたようですが、それにかかった三万ユーロの領収書が、明示されていません。どうなっていますか?」

ベアトリスさんのこの質問にも、与党は明確な回答ができなかった。

この日の議会は、夜一〇時近くまで続いた。最後三〇分ほどは、住民の発言時間だ。

「私は夫からの暴力を逃れるために、五年前、七歳の娘を連れて家を出て、社会的住宅に申し込みました。でも未だに順番が来ません。ずっと車の中で寝起きしているんです。私と同じような境遇の女性は大勢います。町には何かできることがあるはずです。無料で家をくれと言っているのではありません。私でも払える家賃の住まいを提供してほしいのです」。

三〇代の女性が、必死の様相で訴える。すると野党の女性議員が、詳しい話を聞きましょう、と

メホラーダ・デル・カンポの町議会で，議員に問題を直訴する女性(左)．聞き入るメホレモスの議員たち(奥に並ぶ６人のうち，右側の５人)．

声をかけた。

　メホレモスの仲間たちは、野党としてのジレンマを抱えながらも、市民参加の手応えを感じていた。

「この三年間に、僕たちは町の広場や公園で、五〇を超える文化イベントを催した。どの党よりも、町で存在感を示している。次の選挙では、もっと強力なキャンペーンを展開するよ」。

　メホレモスで政策秘書をするジャーナリストのセルヒオさん(五九歳)は、そう意気込んだ。

　だが残念なことに、一九年の町議会選挙では、国政選挙でのPSOE勝利とポデモスの低迷を反映して、メホレモスはPSOEに三議席奪われる形で、二議席となった。選挙戦の最中は、「少なくとも三議席は行けるだろう」と踏んでいたセルヒオさんやベアトリスさんをはじめとする仲間たちは、開票結果を聞いて、肩を落とした。だが、数日後には意欲を取り戻し、党の facebook に議員になった女性二人、ベアトリスさんとミラグロスさん（元看護師）が並んで微笑む写真がアップされた。一〇議席を取ったPSOEがメホレモスの議員二人を誘い、過半数を押さえて連立政権を組むことになったからだ。

政権に参加して半年ほど経った頃、PSOEとの政権運営について、ミラグロスさんはこう語ってくれた。

「互いに調整しながら、全体としてはうまくやれていると思うわ。PSOEは、住民の本当の利益よりも政党としてのイメージを第一に考える点が、私たちとは違うけど、私たちは町政の目的をより明確に理解しているから、上手にやっていくわ」。

連立政権内で、二人が担う役割については、こう述べる。

「ベアトリスは、環境・持続可能性政策の担当をしているの。これはメホレモスが重要視している分野なので、ゴミ回収方法の改善と〝捨てるものゼロ〟を目指した市民教育を進めているわ。私は性暴力の問題を含め、平等・多様性・市民参加のための政策を担当している。暴力の問題と平等に関しては、特に若者を対象に、相手への敬意と公平性を育むための活動を展開しているところよ。女性を対象にした、性暴力を含む暴力被害に関するサポートも、町のソーシャルワーカー、心理士、弁護士と協力して実施している。市民参加については、より活発な参加を可能にする制度を作ること、市民が協力して活動する機会を増やすこと、市民参加型予算のより有効な使い方を提案することに、力を入れている。二〇二三年までの四年間が、町民にとって有意義なものになるよう、がんばるわ」。

●「社会変革」を目指す市民組織

メホラーダ・デル・カンポから東へ車で約二〇分、『ドン・キホーテ』の作者ミゲル・デ・セルバンテス生誕の地として知られるアルカラ・デ・エナーレスでは、「メホレモス」のような町の市民政党を応援する人々が、二〇一五年から、「社会変革」を目指す市民の集う場を運営している。その名も「アグア・デ・マヨ（五月の雨。Agua de Mayo）」。「五月の雨」は、「恵みの雨」を意味する。

アグア・デ・マヨは、「個人主義で排他的かつ持続不可能な今の社会を、より人間らしい、連帯を大切にした持続可能なものに変えることを目指す」市民の集まりだ。そこに参加する一人ひとりが、恵みの雨の「雨粒」となり、ともに社会を耕し変えていこうと考えている。足元からの変革こそが世界を変える、と信じる人々が、二〇一九年現在、一二〇人ほど参加している。

アグア・デ・マヨを紹介してくれたのは、「雨粒」のひとり、フリオ・ベルサルさん（三四歳）だ。彼は、町の地域通貨「エナール（Henar）」を運営している。エナールは、電子マネーで、単に地域活性化のために作られたのではなく、町の社会的活動や社会的連帯経済を推進するための道具として生み出された。モバイル機器用のアプリの開発が本業であるフリオさんは、エナールの開発と管理を担当してきたが、同時にシェアオフィス「インスラ・コワーキング（Insula co-working）」を、友人四人と共同経営していた。

「僕を含む三人は、このオフィスで仕事をしています。利用登録者が五〇人ほどいて、月曜から金曜までの毎日、朝九時から夜八時まで、常に一〇人余りがここで働いています。休憩時間には、コーヒーを飲みながらアイディアの交換をしたりできるので、ひとりでいるよりもいいんです」。

経営者五人は、これが本業ではないため、経営目的は利益を生むことではない。気軽に利用できる仕事場を提供し、人のつながりを生み出し、社会的な活動を広める拠点となることだ。一カ月の利用料は、一〇〇ユーロ(約一三〇〇〇円)。一日の利用でも一〇ユーロと安い。

「利益が出た時は、町でアグア・デ・マヨが企画する文化イベントなど、ほかの社会的活動に投資しています」と、フリオさん。ここの利用者の多くは、アグア・デ・マヨのメンバーだ。

アグア・デ・マヨでは、新しい形の文化活動やレクリエーション、有機菜園やそこで穫れた作物の販売、討論会、映画上映、難民支援など、(フリオさん曰く)「この不公平な世界を変えるために必要な、さまざまな活動」を行なっている。

その一環で、一五年の市議会選挙の際は、メホレモスと同じく、「ソモス・アルカラ(私たちがアルカラ。Somos Alcalá)」というポデモス系の市民政党を立ち上げて選挙戦に挑んだ仲間を、大勢のメンバーが応援した。その結果、ソモス・アルカラは六議席を獲得し、七議席のPSOEとの連立で、アルカラ・デ・エナーレスの市政を担うに至った。ところが、一九年の選挙ではポデモスの内部分裂の煽りを受け、ポデモスを離れて別の政党として戦った末に、一議席も取れずに終わった。アグア・デ・マヨのメンバーが皆、ポデモスやポデモス系市民政党の支持者というわけではないが、政治に関しては再検討が必要な時期にきているようだ。

私たちは一八年五月のある夕方、フリオさんとアグア・デ・マヨのセンターを訪ねた。町外れのアパートの一室で、一〇畳ほどの広さの部屋が三つ。そのひとつでは『仕事のない世界』というタイトルの、ＡＩの進化とベーシックインカムに関するフランスのドキュメンタリーが上映されていた。映画が終わると、集まった三〇代から七〇代までの二〇人ほどが、ディスカッションを始める。

「テクノロジーが進化して、人間がやらねばならない仕事が減るのは、いいことだと思います。要は、それで不要になったコスト、浮いたお金を、何につぎ込むか。ベーシックインカムに使って、暮らしを保障することが大切だと思います」。

最初にそう語ったのは、司会を任されたフリオさんだった。中年の男性がこう応じる。

「人間が働かなくなる、財源がない、といった議論のあるベーシックインカムの導入を可能にするには、まず助け合いの文化を広めることが必要ではないでしょうか」。

そこへ、七〇代の女性が言葉をつなぐ。

「テクノロジーを自分たちの利益のためのみに利用しようとする、新自由主義的資本主義の考え方が広まったのは、人類の歴史の中ではごく最近のこと。だから、長く続いてきた助け合いの文化を取り戻すことは、決して不可能なことではないと思うの」。

「そうした意識を、若い人にもっと広めなければいけないね」と中年男性が言うと、フリオさんが、「ＳＮＳのようなテクノロジーは、あまりお金をかけずに人がつながるために、大いに役立ちます。支出を減らしつつ、幸福感を増すこともできる。そうしたことを前提に、少額からでもいいからベーシックインカムの導入を始めてみて、意識改革を進めるべきでしょう」と提案した。

集まった人は全体的に、ベーシックインカムの導入に前向きだった。人間が給料や年金の額に振り回され、本来の自分らしい生き方ができない状況が続くことは、世界を不幸にすると考えるから

アグア・デ・マヨの活動について語るメンバー.

だ。真に豊かな世界を創るには、どんな人間でも生きがいを持って暮らせる社会、恵みの雨を分かち合える世界を築く努力を惜しまないことが求められると、信じている。

アグア・デ・マヨの活動の中心にいるのは、三〇代から七〇代くらいの市民だ。ある人はセンターの近くにある市営の菜園を借りて有機野菜を作っており、またある人は造幣局の公務員、教師や主婦、年金生活者もいる。メンバーは、センターの維持費などのために五〇ユーロの年会費を払い、さまざまな活動に参加する。ただし、会費を払ってメンバーになったからといって、何か割引を得られるなどの特典があるわけではない。メンバーでなくとも、活動への参加は自由だ。入会はあくまでも、仲間と社会変革を担っていくという決意表明にすぎない。その決意と信頼でつながった人々が、力を結集して、行き詰まった社会のありようを変えていこうとしている。

「実は、私たちのセンターも、最初は市が無料で貸してくれるスペースを利用していたんです。維持費は不要でした。しかし、次第にその空間サイズでは、大勢の人が集まるのが難しくなってきました。そこで、敢えて自分たちの責任で場所を確保し、運営することを選択したんです」。

六〇代の女性メンバーが、そう説明してくれた。

細かい関心や立場は異なっていても、社会のあり方に対する基本的な考えを共有する市民が、自らに一定の責任を課し、理想の実現のために行動する自覚を持つ。そんな主権者の意気込みが、雨の後の「変革の実り」への期待を膨らませている。

変革は、「議会」と「通り」、そして「生活」を通して市民が担ってこそ、庶民の暮らしに寄り添う形で進んでいく。スペインで社会変革を目指す市民の行動は、その真実を示してくれている。

コラム

日本の大学生、市民政党メホレモスと出会う

二〇一九年五月、私たちは、静岡県立大学国際関係学部の津富宏教授と、彼の授業をとる二年生から四年生までの学生四人を、市民政党メホレモスのメンバーに紹介する機会を持った。スペインにおける市民の政治参加と社会的連帯経済をテーマに企画した、一週間のスタディツアーの一環だ。

ツアーでは、スペイン到着二日目からの三日間、学生たちが、メホレモスの政策秘書を務めていたセルヒオさんの家と、メホレモス町議会議員ミラグロスさんと夫ペペさんの家にホームステイし

た。そして三日目の午後、メホレモスのメンバーに、彼らが小さなショッピングセンターの四階に借りている政党事務所に集まってもらい、学生たちが市民政党について質問をすることになった。

「皆に予定を伝えておいたけど、平日の午後だから、それほど集まらないかもしれない」。

その日の朝、セルヒオさんは心配顔で、私にそう告げた。自分とミラグロスさん・ペペさん夫妻以外にもう一、二人来るか来ないか、というところじゃないかと予測する。

私は、「何人でも、来てくれるだけでありがたいわ」と伝えた。

ところが、蓋を開けてみると、一〇人も集まった。集合時間には四、五人しかいなかったが、徐々に増えていったのだ。子ども連れの女性、仕事帰りに立ち寄ってくれた人など、世話好きな大人たちはどうやら「はるばる日本から来た若者たちのリクエストだ」と、気合が入ったようだ。

持っていったジュースやビール、お菓子を中央の長テーブルに乗せ、その周りに椅子を並べて皆が座る。そして質疑が始まった。

なぜ政党を作ろうと思ったのか、そこに参加しようと考えたのか、議会に出る以外にどんな活動をしているのかなど、学生たちの質問に答えながら、メホレモスメンバーが話題を広げていく。

「私たちの一部は、メホレモスを結成する以前から、町の問題は自分たちで解決に動かなければならないなと考えて、住民委員会(自治会)を作って活動していたんです」。

ミラグロスさんが説明する。自治体に登録手続きをすれば、町政にさまざまな提言を行なう住民委員会を創設できる。一九八〇年代末からマドリードのベッドタウンとして急速に開発が進んだメホラーダ・デル・カンポは、九〇年代初め、まだ公共交通機関も十分には整備されておらず、住民として町に要求すべきことがたくさんあった。だから、住民委員会結成を呼びかけると、三〇〇人

メホレモスのメンバーと語り合う静岡県立大学の学生たち(右手)と津富教授(中央奥)，通訳を務める著者(手前背中)．

を超える賛同者が集まった。

「そんな経験から、政治にも直接、自分たち住民の声を届けようと思いました」。

メホレモスの党員はどのくらいいるのかという質問には、「四〇人くらい。そのうち半数程度が、アクティブに活動している」という答え。事務所の賃貸料（日本円で月約五万五〇〇〇円）や選挙時のポスター製作費など、政党活動にかかる費用は、彼らが所属する国政政党ポデモスから支給される分や、町議会議員がいる政党が町からもらえる政党補助金以外は、党員が出していると話す。

町中のベンチや木陰などにメッセージ付きの古本を置いて歩く「本の種まき」や、若いアーティストによるグラフィティ（スプレーやフェルトペンなどで壁に描く絵）、性の平等について考えるビデオ上映会など、ユニークな活動も紹介してくれた。

二時間ほどの懇談会の最中、メホレモスのメンバーから学生へも、日本での政治参加についてなど、いくつかの質問が飛んだ。日本では市民の政治参加があまり活発ではないという答えに、「民主主義の基本は、市民参加だ」という話がされる。

おしゃべりが止まらない「おじちゃん・おばちゃん」たちの言葉に聞き入る学生たちの顔は、どこか楽しげでワクワクしているようだった。

この座談会について、帰国後に学生二人が書いた感想を紹介しよう。

［二年生（二〇歳）］

メホレモスの皆さんも私と同じふつうの市民ですが、身近な問題を自分たちで解決するために政治に参加するようになったというお話を聞いた時、衝撃を受けました。私にその発想はなかったからです。日本人一般に、政治を自分たちで変えようと考える人は、ごく少数ではないかと思います。行政は身の回りの問題を全然解決してくれないなどと不満を言っている暇があるなら、自分で解決する方法を探せばいいのだと、気づかされました。

メホレモスは、全員の意見を尊重することや、自分ができる範囲のことを積極的にやることが大切だと、教えてくださいました。私はカンボジアの子どもを支援するサークルに所属していますが、全員で何かに取り組もうとすると、いろんな意見が出て話し合いが進まず、スケジュール通りに行かないことが多々あります。が、それでも、全員が納得のいくまで話し合うことに意味があるのだと、確信できました。そうすることで、皆のモチベーションを維持できるのかもしれません。人間を中心においた民主的な考え方をすれば、皆が生きやすい社会になるのに、日本は国や企業に転がされすぎているのかもしれない、と感じました。

メホレモスの方々のお話を伺った際、「誰か、あるいは何かについて行けばいい、ではなく、長い道のりであっても、皆が参加できるという実感をつかんでいくことが大事」という言葉を聞いて、それは本当に大切にしていくべきことだと感じました。

［四年生（二二歳）］

僕は、学生団体に所属していますが、団体で何か行動を起こそうとしていると、「そんなことしてるの」「偉いね」など、周りから少し皮肉っぽい言葉をかけられることがあります。このことについてメホレモスの方々に、同じような経験がないかと伺ったところ、女性のメンバーが、フランコ独裁（一九三九〜七五年）後初めての選挙のエピソードを交えて、「私たちだって、あの時（女性がようやく選挙権を得て）投票に行ったら、生意気だと言われたわ。でも、そんなの気にしたって無駄。今は選挙に行くのが当たり前だし。自分のやりたいことをやりなさい。周りを気にしていたら何も進まないわ」と話してくれて、とても励まされました。

若者たちは、気さくでアクティブな大人との出会いを通じて、政治も社会も人任せにせず、自ら動いて変えていくこと、参加することの重要性を学んだようだ。日本でも、こうした大人と若者の出会いを、もっと作っていくことが期待される。

RINCÓN
UTOPÍA

II

補完通貨が生む「つながり」

地域通貨モラを利用する小学生．「ユートピア・コーナー」と名付けた校庭の一角で．（61 頁参照）

生活の場で変革を進めるための手段として、15M以降、注目されているもののひとつに、補完通貨がある。アルカラ・デ・エナーレスの地域通貨のように(二五頁)、既存の貨幣=お金ではない、より社会的な意義を持つ利用が想定される通貨が、補完通貨だ。スペインでは、よく「モネーダ・ソシアル(社会的通貨)」という呼び方がされる。日本でも、地域通貨やエコマネーなど、さまざまな補完通貨が存在するが、多くの場合、特定の分野や地域での利用を目的としてデザインされている感がある。それに対して、スペインでは、日常生活全体のより広い分野と地域、年齢層をまたいで、多様な形の「社会的通貨」が利用されている。それにより、新自由主義のグローバル化がもたらす格差の拡大や個人主義によって分断された社会で、「つながり」を再生する機能を果たしている。

1 人をつなぐ「時間銀行」

「時間銀行」とは、人々がグループ=「銀行」をつくり、そこに自分がメンバーに提供できるサービスを登録して、お金ではなく「時間」を単位に、必要なサービスをメンバー間で提供しあう仕

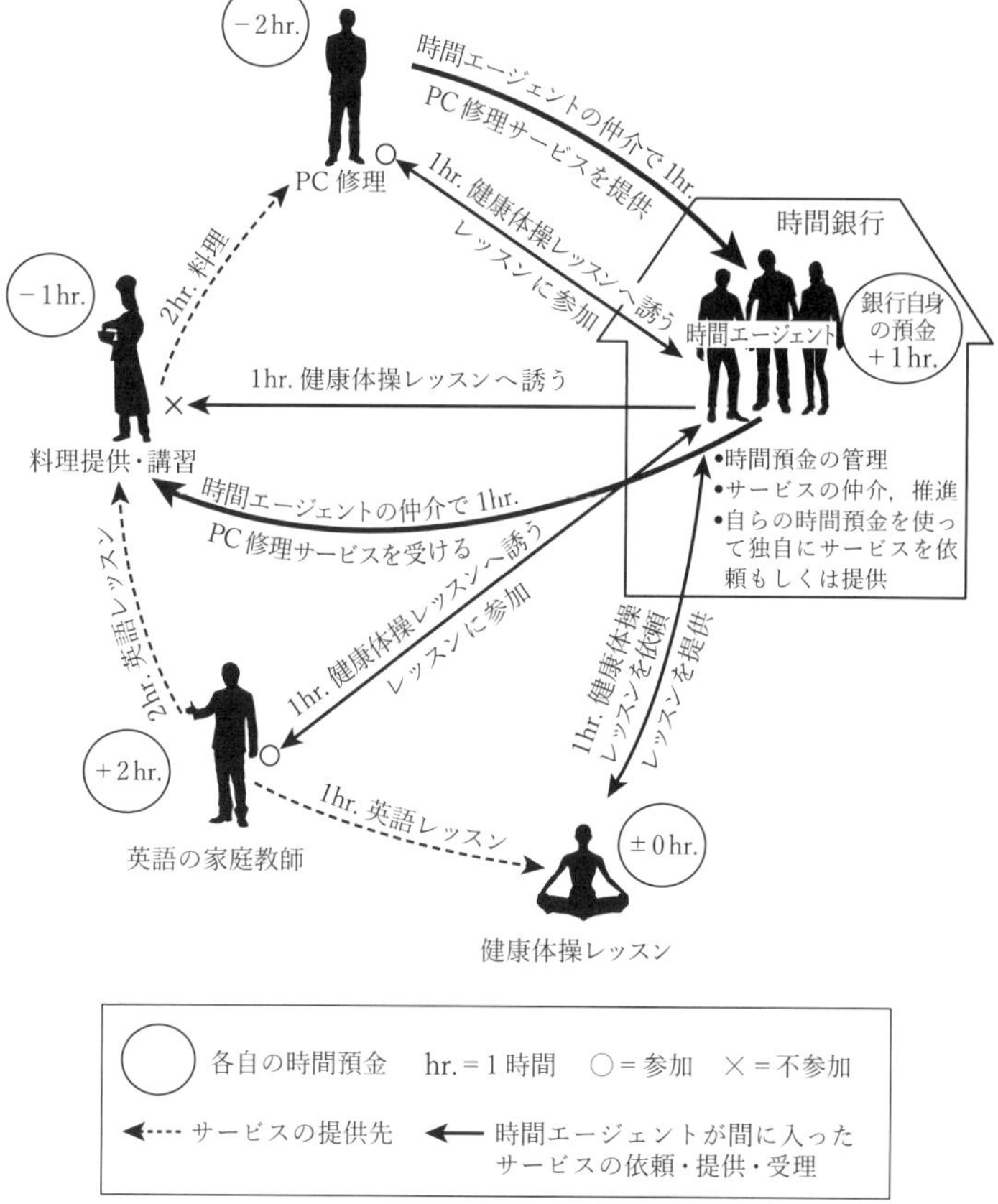
−2 hr.
PC 修理
時間エージェントの仲介で 1hr.
PC 修理サービスを提供
1hr. 健康体操レッスンへ誘う
レッスンに参加
時間銀行
時間エージェント
銀行自身の預金
+1 hr.
−1 hr.
2hr. 料理
1hr. 健康体操レッスンへ誘う
料理提供・講習
時間エージェントの仲介で 1hr.
PC 修理サービスを受ける
•時間預金の管理
•サービスの仲介，推進
•自らの時間預金を使って独自にサービスを依頼もしくは提供
2hr. 英語レッスン
1hr. 健康体操レッスンへ誘う
レッスンに参加
1hr. 健康体操レッスンを依頼
レッスンを提供
+2 hr.
英語の家庭教師
1hr. 英語レッスン
±0 hr.
健康体操レッスン
各自の時間預金
hr. = 1 時間
○ = 参加
× = 不参加
サービスの提供先
時間エージェントが間に入ったサービスの依頼・提供・受理

「時間銀行」の仕組み

組みだ。たとえば、英語を教える、パソコンを修理する、買い物に同行する、といった「サービス」を登録しておき、メンバーに頼まれたら、それを実行。かかった「時間」を相手から受け取り、自分の「時間預金」とする。逆にその預金から、ほかのメンバーに「時間」を払って、自分が必要なサービスを依頼することもできる（前著『ルポ　雇用なしで生きる』参照）。大切なのは、時間預金を増やすことではなく、「同じ時間銀行に参加する人たちが、互いに時間を共有し、持ちつ持たれつの関係を築くこと」だ。つまり、質の高いサービスを提供しあうことや、かかった時間を正確に測ることは、さして重要ではない。時間を分かち合い、メンバーがつながっていくことが、一番の目的なのだ。

時間銀行は、現在、米国やイギリスの「タイム・バンク」をはじめ、全国組織まで存在するような幅広い活動を、世界各地で展開している。スペインにおいては、およそ二〇年前に、女性の「三重負担（家事、子育て、賃金労働）」を軽減するために導入され、次第に広範な目的での利用が始まっていった。特に15M以降は、金融資本主義の理不尽さや、何でもお金でカタをつける社会に生きる人間の生活基盤のもろさに気づいた市民によって、注目されている。

●時間銀行全国大会

スペインには二〇一九年現在、都市部を中心に二八〇あまりの時間銀行が存在し、そのうちの一〇〇強が、特に積極的に活動しているという。二〇一四年からは毎年一度、それらの有志が集まる「時間銀行全国大会」が開かれている。各地で活動する時間銀行が持ち回りで「ホスト時間銀行」

2018年バレシンアでの時間銀行全国大会の開会時，道化師の格好をした女性が2人乱入した．奥中央に着席しているのが，時間銀行発展協会代表のフリオ・ヒスベールさん．

となり、地元で会場を設定して、大会を準備、開催する。通常、二、三日間、全国十数カ所程度の時間銀行のメンバーが五〇〜一〇〇人前後集まり、経験をシェアしたり、問題点について議論したり、新たな取り組みを提案したり、ワークショップを行なったりする。これは、時間銀行が生み出す「つながり」を、ひとつの時間銀行内に留めず、全国的なつながりにするための試みだ。

一八年五月半ば、第四回大会が、東部バレンシア州バレンシア市で開かれ、私たちも参加することにした。初日の冒頭、同市の「持続可能な経済推進」担当官が、開会の挨拶を始めた。すると、突然、

「ちょっとお邪魔しまーす！」

と、道化師の格好をした女性が二人、話を遮り、五〇人ほどが集まった会場になだれ込んできた。生真面目そうな司会の男性が、「あ、少しあと

にして」と言いかけるが、二人は構わず会場の前へ行き、おどけた口調で参加者に話しかける。

「聞いてちょうだい、私たち、時間銀行をやっているのよ！」

そして、クイズ問題を出し始めた。

「問題一、米国における時間銀行の創始者の名前は？　問題二、時間銀行、って人助けの手段？　問題三、時間銀行に参加するのは、時間があり余っている人？」

主催者が作成した時間割無視の行動に、最初は戸惑いの色を見せた参加者も、時間銀行の本質に迫るクイズの中身と道化師のコミカルな動きに、自然と笑顔になる。「開会の挨拶」の真っ只中に敢えて乱入した道化師の行動が、「時間銀行では、時間割通りに事を進めることよりも、出会いとつながりを生み出すことのほうが大事だ」ということを、皆に思い出させた。

しゃれた演出で始まった二日間の大会では、まず最初に、スペイン各地の時間銀行を調査した研究者が現状報告を行なった。二八〇あまりある時間銀行は、その運営主体が、市役所、地域住民、独自のグループなど、さまざまだという。だが、「運営の中心メンバーが時間銀行の意義をよく理解し、関係づくりの工夫をしているグループはうまく機能しているという点は共通しています」というのが、研究者の見解だ。

また、時間銀行に参加している人は、全世代にわたるが、運営するグループを構成するのは、多くの場合五〇代から六〇代で、約七割が女性だという。彼女・彼らの活躍で、活発なやりとりが行なわれている時間銀行においては、参加メンバーの間で、「人間関係が良くなった」、「どんな時でも積極性を持って生きることが大切だとわかった」といった、ポジティブな評価が生まれている。

2018 年バレシンアでの時間銀行全国大会で，スペインの時間銀行に足りないものを議論する参加者たち．

「現代社会において時間銀行を有効に活用するためには、資金よりも、時間銀行の良さをよく承知している運営者を育てることが肝心だと、感じました」。

研究者は、そう話を締めくくった。

この大会では、「時間銀行は、難民・移民支援にどう役立つか」というテーマの特別会議が開かれた。一八年六月一一日、イタリアが入港を拒否した移民救助船をスペイン政府が受け入れるという出来事があり、欧州での難民・移民受け入れ問題はますます複雑化していたからだ。賃金の高いドイツやフランスと異なり、その経済状況から難民や移民の「最終目的地」とはなりにくいスペインだが、それでも入国者数が増え続けている。この現実に時間銀行はどう関われるのか、という議論が始まっていた。

実は、一七年五月、私はバルセロナ市で行なわれた時間銀行に関する発表の場において、カタルーニャ州ベルガにある時間銀行に参加するシリア難民の男性二人の声を聞く機会があった。

「私たちは、時間銀行に参加し、久しぶりに人の役に立つことができて、とても幸せに感じました。ギリシャの難民キャンプにいる間には、命がけで祖国を脱出してきた若者が、仕事も何もできないキャンプ生活に絶望し、自殺するのを見ました。それが一番辛かったのです」。

彼らはそう訴え、さらにこう続けた。

「時間銀行においては、隣人にタダでスペイン語を教えてもらえるようになったのと同時に、私たち自身が、ふつうの隣人として、シリア料理を教えたりすることもできるようになりました。それがうれしかった」。

そのベルガ時間銀行（メンバー約二〇〇人）の運営者が、今回の特別会議で話をした。

「難民や移民にとっては、〝支援される側〟として区別されることが、一番辛いのです。時間銀行では、どんな人であれ、ただの隣人。不法移民か合法的移民かも、問いません」。

彼は少し興奮気味に、「シリアから来た人が、近所のドイツ人移民の洗濯機を修理したら、二人とも笑顔になった」というエピソードを紹介しながら、多様な社会・文化的背景を持つ住民がいる地域での時間銀行の有用性を強調した。

今回のホストとなった時間銀行を運営するイエズス会の移民支援団体も、移民の暮らしを支えるために、時間銀行（メンバー一六四人）を運営している。三四カ国以上から来た人が登録しており、スペイン人メンバーも四分の一程度いる。

「孤独を感じなくなりました。時間銀行に参加していれば、お金の有る無しに関係なく、手を差し伸べてくれる人がいますし、私も人助けができます」。

そう語るのは、メキシコ人の中年女性だ。同じ中南米から来たエルサルバドル人の男性も、「いろいろな国から来た隣人たちと知り合えることで、どんな悩みにも共感を得られることが、何よりうれしいです。将来は、時間銀行を運営する側にもなりたいですね」と、希望を語る。

同じく移民や難民が多く住む、バスク州バラカルド市運営の時間銀行(メンバー約一五〇人)の代表(市のソーシャルワーカー)も、自分たちが果たす役割を、こう定義する。

「移民や難民が町で暮らしていくうえで、まず最初に必要なことを提供すること。そして、彼らを含む、地域のあらゆる住民が共生していくための環境を整えることです」。

彼らの時間銀行には、スペインを含む世界一八カ国出身の、一八歳から八五歳までの住民が登録している。市の時間銀行担当職員四人(ソーシャルワーカー)は、活動にあまり関わっていないメンバーには毎日のように声をかけ、毎月最低一回は全メンバーに呼びかけて、時間銀行主催の活動を実施している。たとえば、スペイン風オムレツ作り、モロッコ菓子教室、国際移民デーやファシズム反対週間などだ。時間を使うだけで、お金はいらない交流の場を増やしていくことで、どんな人も気軽に知り合える機会を作っている。

この報告をしたバラカルド市の時間銀行が、二〇一九年の全国大会では、ホスト役となった。

一九年五月、第五回大会の初日にバラカルドの会場に集まったのは、実に二〇〇人近い人々だった。そこには、時間銀行関係者だけでなく、同市や近隣地域の行政関係者や社会福祉課職員も大勢いた。大会初日には、社会問題に詳しいコンサルタントが「隣人ネットワークと社会福祉サービスの関係」についての、また、スペインの時間銀行研究の第一人者で「時間銀行発展協会」代表であるフリオ・ヒスベールさん(五五歳)が、「時間銀行と社会福祉」についての講演をしたためだ。

最初の講演で語られたのは、個人の労働と消費で豊かさが得られると考える人間の多い現代社会においては、人のつながりがますます希薄になっていること、そうした社会環境においては、高齢者よりも一五歳以下の子どもや若者の方が貧困に陥る確率が高いこと、その現実を前に、社会福祉サービスはすべての世代を支えるものでなければならないということだった。また、フリオさんの講演では、役所が時間銀行を使って社会福祉サービスを提供している例が、いくつか紹介された。たとえばスイスのある町では、役所が運営する時間銀行に参加する六五歳以上の住民は、介護師派遣料を時間預金で支払えるシステムを導入していた。セビリア市では、市役所が運営する一四の社会福祉センターに時間銀行が置かれ、支援の必要な住民が孤立化しない工夫をしている。

二つの講演は、住民の多様化や孤立化が進む社会と向き合う方法を模索する役人にとっても、新鮮な学びの場となった。

大会二日目には参加者全員が、クイズ形式で自らの時間銀行での体験をシェアしながら、時間銀行の意義を改めて考えるワークショップを行なった。

ステージ上にいる司会者の指示に従って、一〇〇人近い参加者がまず、広々とした会場の真ん中に二列に並べられた長机の両サイドに集まる。そして、机の上に貼られた大きな白い紙に、司会者が出す質問について、隣りの人と話し合いながら出した答えを書き込んでいく。参加者はなるべく場所を移動し、毎回、別の人と話をしながら答えを書くようにする。

出された質問は、「今の気分は？」から始まって、「今日この会場で誰かと話した内容で、もう一度ほかの人とも話してみたいことは？」、「あなたが所属する時間銀行で、あなたはどんなことをしている？」、「五年後に、あなたの時間銀行はどんなふうになっていると思う？」などなど。最後、一六個目の質問は、「すべての時間銀行に望むことは？」だった。

質問終了後、参加者は六、七人のグループに分かれ、それぞれ机に貼られた紙の一部を切り取って、そこに書かれたことを皆で確認した。それからグループごとに、「時間銀行を通して人に与えているもの」と「時間銀行を通して人から受け取っているもの」をひと言で表すとどうなるか、を考える。住んでいる町も年齢も人種も異なる人たちが、この二つのテーマについて議論をしてから、答えの「ひと言」を書いた大きな紙を、会場の壁に貼っていった。

おもしろいことに、二つのテーマの答えとして並んだ三〇枚前後の紙に書かれた「ひと言」は、表現が多少違うにせよ、ほぼ同じ意味合いのものだった。つまり、大半の参加者が、時間銀行に参加することを通じて、「共感や愛情、信頼、連帯」を人に伝えようとし、自分もまた、人からそれらを得ていると感じていたのだ。

時間銀行の目的から考えれば、これは当然の結論だったが、その事実を全国から集まった仲間が一緒に確認し、共有したことに、大きな意味があった。スペインの時間銀行が、単なる一地域の市民の取り組みや地方行政の社会福祉の道具にとどまるのではなく、社会全体を変えていく手段となるために、全国大会は必要不可欠な場となっている。

バラカルドでの全国大会で、もうひとつ注目されたのは、同市の時間銀行のメンバーとなっている移民や難民の積極的な活動参加だ。前年の大会で報告があった「共生」への努力が実感された。

大会初日、受付で私たちに声をかけてきたのは、カーリーヘアで恰幅のいいコロンビア人女性、エレーナさん(五四歳)。ほかの州から来た大会参加者は、市が無料で提供する宿泊施設複数に分かれて滞在することになっていたが、私たちも会場から徒歩五分くらいのところにある宿を充てがわれていた。そこへの案内をはじめ、滞在中のアテンド役となったのが彼女だ。地域外からの参加者五、六人につき、ひとりのアテンド役が用意されていた。ほとんどの場合、それは移民だった。

「私がお二人の担当です。何かわからないことがあれば、いつでも尋ねてください」。

「スペインに来て結婚して、もう十年近く経つけれど、時間銀行と出会ってからは、特に日常生活が充実したわ」。

そう言うエレーナさんは、会場に来ていた夫と、行事の合間に私たちを自宅でのお茶に招いてくれた。気さくな夫はスペイン人で教員。子どもはいないため、地域住民と知り合う機会がなかなか得られなかった彼女にとって、時間銀行は、結びの神だった。

「今では私自身が、時間銀行に入りたい人への説明を担当しているの。実際にアクティビティに誘い、その人がどんなことを求めているのかを察して、提供するサービスや依頼するサービスを提案したりする。寄り添うことで、その人も安心して参加できるようになるし、私も楽しいわ」。

大会期間中、移民のメンバーは、時間銀行を運営する市ソーシャルワーカーやほかのメンバーたちと協力して、プログラムを進行した。休憩時間やランチタイムには、スペインを含む各国のお茶やお菓子、家庭料理を振る舞い、参加者を楽しませた。日頃から、住民同士が共存意識を高めてき

2019 年バラカルドでの時間銀行全国大会の休憩時間，ミントの葉が入ったモロッコ茶をふるまう移民の男性．

た成果だろう。

時間銀行のメンバーだけでなく、その家族も、大会の行事に積極的に参加し、ほかの州から来た人たちとの交流を楽しんだ。モロッコ人移民の若いイスラム教徒の女性メンバーは、ランチタイムには常に自分の子どもとスペイン語が話せない母親を連れてきていた。

「特に母は、もともとあまり外出しないうえ、言葉がわからないので、家に閉じこもりがちです。でも、時間銀行の集まりには、いつも喜んで一緒に参加してくれます」。

信頼関係で成り立っている時間銀行が創り出すアットホームな雰囲気の中で、誰もが人との触れ合いを心から享受していた。

●難民と連帯する

近年増えている中東やアフリカからの難民を、積極的かつ具体的な形で巻き込んでいる時間銀行も、紹介しておこう。

難民は、赤十字やスペイン難民支援委員会（CEAR）の支援を受けながら、スペイン各地で生活しているが、彼らの間で特に問題となっているのは、スペイン語の習得だ。赤十字やCEARは、衣食住の支援はするが、語学学習はもっぱら地元のボランティアやNGOなどに依存している。そこで活躍するのが、時間銀行だ。

カタルーニャ州ジローナ市にある時間銀行「ポン・ダル・ディモニ（悪魔の橋。Pont del Dimoni）」（メンバー八九〇人）では、住民自らが講師となって、移民や難民にスペイン語を教えている。この時間銀行の運営を担当する住民三人のひとり、パブロさん（六〇歳）は、言う。

「町には最近、アフリカ諸国から来た難民、特に若者が増えています。彼らは赤十字が提供するアパートに暮らしながら、難民認定などの手続きを進めていますが、その間、学校へ行くことも働くこともできず、町中をただブラブラしているだけです。その存在を、快く思わない人もいるんです。そこで、私たちが時間銀行のスペイン語教室に誘い、地元の人や言語にもっと馴染んでもらうことで、近い将来、助け合える関係を築いてもらおうと考えました」。

ポン・ダル・ディモニでは毎週、月曜と火曜に一時間半ずつ、スペイン語教室を開いている。場所は、市が無料で提供してくれているコミュニティセンターの一室で、参加費は無料。もし町で長く暮らすことになれば、時間銀行のメンバーになって、サービス交換に参加してもらえればいいと考えている。講師は、パブロさんとメンバーもうひとりが一日ずつ担当。どちらも語学講師の経験はないが、パブロさん曰く、

「外国人にスペイン語を教えるための教材は、インターネットで探せばいくらでも見つかるので、やる気さえあれば、素人でも講師はできますよ」。

授業を見学した日は、すでに何年も町で生活しているモロッコ人女性や、まだ来たばかりのマリやカメルーン出身の若者など一〇人ほどが、熱心に授業を受けていた。講師の男性がホワイトボードに文を書いて発音すると、皆が繰り返す。次に文の意味を尋ね、主語を変えると動詞の活用がどう変化するかを問う。質問自体が理解できない人は、隣りの人に尋ねたり、先生に説明を求めたりする。レベルがバラバラなわりに、皆、熱心に授業に聞き入っている。

「このクラスに参加するまで、スペイン語が話せなかったんです。友だちもおらず、夫や従妹しか話し相手がいませんでした」。

そう話すのは、モロッコ人のハナエさん(二四歳)だ。先に移住してこの町で働いていた夫の呼寄せで三年前に来たが、これまで夫以外と外出する機会も、スペイン語を習う場もなかった。一カ月ほど前に時間銀行の存在を知って、この教室に通うようになったという。

「ここに来たおかげで、スペイン人の友だちができましたし、ほかの国の人とも仲良くなれました」と、一緒に学ぶ一八歳の従妹もうれしそうだ。

西アフリカのマリ出身のヨースフくん(二〇歳)は、クラスでも一番勉強熱心な生徒。二年半かけ、マリから北上してアルジェリアにたどり着き、そこからモロッコを経由してスペイン領メリージャへ入り、三カ月前にようやくスペインで難民申請をした。

「スペインリーグのサッカー選手になりたいんだ。だから、スペイン語はちゃんと覚えたい」。

いかにも運動神経が良さそうな青年は、そう夢を語った。

同じ難民でも、シリアなど中近東から家族で亡命し、難民支援委員会に保護されたばかりの者は、最初の半年から一年間、地域社会に参加する機会がない。

「CEARの保護下に置かれるため、私たちは、彼らがどこに住んでいるかも教えてもらえません。直接関わる機会も限定されます。だから、その期間は、難民として来た人たちが隣人となった時に地域で差別などが起きないよう、難民問題について正しい知識を広める活動をしています」。

そう説明してくれたのは、マドリード市郊外の町、リバス・バシアマドリードの時間銀行「インテルティエンポ・リバス(Intertiempo Rivas)」(メンバー三五〇人。前著『ルポ　雇用なしで生きる』にて紹介)の運営メンバーだ。彼らは、政府機関であるCEARと話し合いながら、町に住むことになった難民家族に、段階を追う形で具体的なサポートを提供している。

まずは、地域住民が中近東からの移住者を「テロリスト」や「不法移民」などとして差別することのないよう、難民の現実を伝えるパンフレットを作成し、地域の学校に配布した。

「必要な時には、CEARを仲介者として病院や役所などに同行し、いろいろな手続きの手伝いをしています」。

直接連絡をとったり、住まいを訪ねたりすることはできなくても、CEARに待ち合わせ場所を指定してもらい、隣人として寄り添い、地域で生活するうえで不可欠な事柄をサポートする。

「公的支援が終了した後は、難民の方々を時間銀行のメンバーに誘い、同時に家具探しや買い物、通学など、新たな生活を始めるための準備を一緒にしながら、隣人関係を築いていくんです」。

時間銀行は、難民としてやってきた隣人が地域で安心して暮らしていける人間関係を、公的支援がなくなる前から少しずつ築いているわけだ。

世界中で移民や難民が増加する中、市民自らが彼らを積極的に「隣人」としてコミュニティに迎え入れていく姿勢と、その手段として活用できる時間銀行は、これから日本でも広めたいものだ。

●異なる世代をつなぐ

日本で時間銀行を積極的に利用する目的として、移民との関係と並んで重要なのが、「世代間のつながり」だろう。

「ウェブデザイナーの仕事は、なんかつまらなくなって。もっと人の役に立つ事業に挑戦したいと思ったんだ」。

穏やかな笑みを浮かべるエドワードさん(三四歳)は、二〇一六年に、自ら「ミヌッツ(分。Minuts)」という団体を立ち上げ、新しい形の時間銀行を始めた。ターゲットを絞り、テーマを定めたプロジェクトを企画して実施する方法だ。一八年五月から移民が多いバルセロナ市ノウ・バリス地区で行なったプロジェクトは、社会的困難を抱えた若者が対象で、移民家庭の子どもを中心に、非行や犯罪関与、不登校、失業など、何かしらの困難と向き合う若者たちが参加した。

「若者たちには、三つのテーマに取り組んでもらいます。高齢者、ジェンダー、環境問題です」。

それぞれのテーマにつき、二つのアクティビティが用意されている。取材に訪れた日は、地域のコミュニティセンターにおいて、「高齢者」をテーマにしたアクティビティのひとつが進行していた。そこには、センター主催の料理学校に参加している一六〜二五歳の若者一一人と、地域のデイケアセンターに通う高齢者一三人が集まっている。

「こんなしゃれた器具を使って調理するなんて、初めてだよ！」

液体から泡を作る容器を使って、ムース状のデザートを準備する若者の手元を見つめながら、七〇代の男性が感嘆の声を上げる。高齢者の半分は、若者グループの半分に最新のデザート作りを伝授してもらい、残り半分は、ほかの若者たちに伝統的な家庭料理を教える。

大きなフライパンで腸詰を炒めるピアスだらけのブラジル人青年（二三歳）は、隣りで細かく指示を飛ばす陽気な初老のご婦人に首ったけ。その一語一語を聞き逃すまいと耳を澄まし、疑問があればすぐに尋ねる。

「経験豊かな人に教わるのは、本当に楽しく、勉強になります！」

若者たちがサラダの盛り付けを終えると、ご婦人方がすかさず、「センスがいいわ」と褒める。

一時間半ほどでできあがった料理は、皆でセンターの中庭で試食する。料理が縁で顔を合わせた老若男女の間では、予想以上に会話が弾んだ。

このアクティビティに参加した若者たちは、かかった時間（この日は四時間）分の「タイムクレジット」がもらえる。それをお金の代わりに利用して、ミヌッツと提携している公的機関やNGOが主催するさまざまな活動――映画鑑賞会、コンサート、職業訓練コースなど――に参加することができる。エドワードさんは言う。

「アクティビティに関わることを通して、若者たちが地域住民と顔見知りになり、何か問題を抱

ミヌッツの料理教室．シニアの女性たちは，若者のサラダの盛り付けセンスに関心しきり．

えた時には、解決のために一緒に動いてくれる隣人をたくさん持てるようにすることが、このプロジェクトの目的なんです」。

「高齢者」をテーマにした次のアクティビティは、「ひとり暮らしの老人訪問」事業への参加だ。「高齢者と若者たち。ふだんあまり接点のない、世代の異なる住民同士に新たなつながりが生まれることは、地域を豊かにします」。

異なる世代間のつながりは、あらゆる問題解決の糸口となる。

マドリード州の北部に位置する町、エル・モラールにあるコルテス・デ・カディス中高等学校（日本でいう中学三年間プラス高校三年間）では、時間銀行に詳しいスクールカウンセラー、マイテさん（五三歳）の提案で、生徒たちが放課後の時間を使った「問題解決の仲介活動」をしている。上級生がボランティアで「オリエンタドール」と呼ばれる仲介役となり、後輩たちの問題解決に一緒に取

1年生の少女(中央，パーカー姿)は，オリエンタドールの先輩マリーナ(その左)のおかげで，いじめ問題を解決できた.

り組むのだ。

二五人いる四年生(スペインでは中等教育が四年、高等教育が二年の区切りになっている)のオリエンタドールの中で、時間のある生徒が、毎週水曜の午後にスクールカウンセラー室に待機して、相談に来る後輩(主に一年生)を個別に担当している。

「活動を始める前、まず私たちが二人一組で一年生の教室をまわり、どんな問題についても私たち四年生が相談に乗って、一緒に解決を目指します、という説明をしました。そうしたら、徐々に相談に現れる生徒が増えていきました」。

この日集まった九人のオリエンタドールが、そう語る。相談した側の一年生の少女も、自分の担当オリエンタドールを前に、その体験を話してくれる。

「私は悪口などを言われて悩んでいたんですが、立ち向かう勇気がありませんでした。でも、(四年生の)マリーナに相談して、自分に自信を持つように励ましてもらったおかげで、相手に自分の気持ちを伝えることができました」。

オリエンタドールとして、女子二人の喧嘩の仲裁をした少女たちは言う。

「親友同士だったのに、悪い冗談をきっかけに喧嘩してしまった二人それぞれの話を聞いて、言いすぎた点はきちんと謝るようアドバイスしたら、仲直りができました」。

学校の廊下で殴り合いになった男子二人の間に入った四年生の少年も、「まわりが余計な噂をしたから、関係が悪化してしまったんです。双方の言い分を聞いて、それぞれの本心を相手にちゃんと伝えたら、うまく関係を修復できました」と、満足げだ。

オリエンタドールたちは、皆、自分の時間を後輩のために使い共有することで、後輩の問題解決に貢献することに、やりがいを感じている。「心理学に関心がある」、「人助けが好き」、「自分が一年生の時にもこういう仕組みがあったらよかったのに、と思った」など、参加している理由はバラバラだが、誰もが「活動を通して、ほかの人の気持ちをよりよく理解できるようになったことが、うれしい」と話す。

マイテさんは言う。

「この活動を通して、子どもたちは個人の時間を、大勢の人のための時間、社会的な意味を持つ時間に変換しています。それが、学校で時間銀行のような活動を行なう、大きな意義なんです」。

時間という財産は、世代を超えて大勢の人と共有することでこそ、社会にある多くの問題を解決し、より大きな価値を創造する。

●若きフリーランス・起業家をつなぐ

経済そのものに直結する形で、時間銀行が利用されている例もある。

リーマンショック以降、一時は失業率が五〇％を超えていた若年層の間では、企業に就職するのではなく、自ら起業することやフリーランスとして仕事をすることを考える者が増えている。だが、事業を始めるには資金が必要だったり、フリーランスでも何かしらコネがないと仕事が手に入りにくいのが現実だ。そこで、首都マドリード市の北東約三〇〇キロにあるサラゴサ市は二〇一〇年、時間銀行のアイディアを取り入れた、起業家やフリーランスのための新しい仕組みを作った。「ラ・コラボラドーラ（協力者。La Colaborадora）」だ。

それは、「サラゴサ・アクティーバ（Zaragoza Activa）」という看板が掲げられた公共施設の中にある。サラゴサ・アクティーバは、地域の若年層の起業や技術革新、協働を支援するために市が運営するプログラムだ。日本のハローワークのような機能を持つほか、新しい事業を始めたばかりの起業家グループに、小さな事務所スペースを二、三年の期間限定で月二万円程度の賃料で貸したり、3Dプリンターなどが設置された市民のための先端技術室や若者のための図書館を運営したりしている。そんな支援の一部として始まったのが、ラ・コラボラドーラだ。そこには三〇代を中心に二〇一九年五月現在、およそ三〇〇人ほどの起業家やフリーランス、NGO運営者などが所属している。

「ラ・コラボラドーラは、市役所と参加メンバーが協同で取り組む事業です。広報、事業推進、

サラゴサ・アクティーバ内にあるラ・コラボラドーラ.

時間銀行、事業モデル作り、参加推進、起業家育成、メンバー受け入れ、の六チームに、メンバーがボランティアとして参加し運営しています」。

そう説明するのは、サラゴサ・アクティーバの職員で、ラ・コラボラドーラを担当するネリダさん(四四歳)だ。各チームに参加するメンバーと担当職員が、二〇代から四〇代前半の市民に、ラ・コラボラドーラの利用方法を伝え、必要に応じて起業のサポートをしたり、すでに取り組んでいる事業を活性化する知恵を提供したりする。

「今日は、ルベンとアナが、一緒にラ・コラボラドーラを案内してくれます」。

ネリダさんの言葉に促され、若い男性が私たちに握手を求める。ネットでケータリング事業を展開しているルベンさん(三〇歳)だ。

「僕は、広報チームなんです。だから、お二人にラ・コラボラドーラを紹介しますね」。

「私もここで仕事をしているので、同行します」。

サラゴサ・アクティーバ内にあるラ・コラボラドーラ担当の職員ネリダさん(右)とメンバーのルベンさん(中央)，アナさん．

そう話しかけるのは、グラフィクデザイナーのアナさん(四二歳)。自分のパソコンをここへ持ってきて、仕事をしているという。

三人の案内で訪れたのは、四階にある、大きな車輪が三つ連なったシンボルマークを掲げたラ・コラボラドーラの共同作業スペースだ。白で統一されたシンプルでモダンな空間には、中央に丸い吹き抜け部分があり、そのまわりに作業デスクや椅子がいくつか置かれている。そこでは若者たちが、パソコン片手に何人かで集まって仕事をする。無料Wi-Fiや、壁にはホワイトボードと掲示板も用意されており、ボードに書き込みをしながら議論する青年たちも。お茶や簡単な食事が準備できるキッチンも完備しているので、ここで起業セミナーやメンバーの朝食会を開くこともあるという。

吹き抜け部分にある螺旋階段を下ると、途中、三階部分の壁沿いにテラス状のデスクワーク・スペースが、二階にはさらにデスクが置かれていた。

自分のパソコンに向かう男女の姿がある。

「私の机はここです」と、アナさんがフロア中央にあるデスクのひとつを指差した。そのデスクを、月二〇ユーロ(約二四〇〇円)で借りているという。

「以前は、自宅で仕事をしていました。でも、ここにいると、ほかのメンバーからさまざまなアイディアを得られるので、数年前に思い切ってスペースを借りることにしたんです」。

それ以来、仕事の中身まで変わってきたと打ち明ける。

「ずっと大企業の広告デザインなどを手がけていたんですが、ここで社会的関心の高い人たちと出会ってからは、自分の考えに合った企業や団体のための仕事だけすることにしたんです。そうしたら、生活が充実しました」。

アナさんにとってこの空間は、社会貢献を考えた仕事に取り組む仲間とコラボできる、心地よい場所だ。同様の感覚を、ルベンさんも抱いている。

「僕も、初めオンラインのグルメショップをやっていたんですが、うまくいかなくて。ここで知り合ったウェブデザイナーにケータリングを勧められて、やってみたら、それが成功したんです」。ショップのウェブサイトのデザインも、そのウェブデザイナーが手がけてくれた。

実は、その「ウェブサイトのデザインを引き受けてくれた」というところが、ラ・コラボラドーラにおける「時間銀行」の活動だ。

ラ・コラボラドーラのメンバーは参加一年目に、毎月四時間、ラ・コラボラドーラのために無償で活動する義務がある。ほかのメンバーの仕事を手伝う、ラ・コラボラドーラで開催される研修運営に関わる、毎週木曜にある朝食会に参加するなど、義務を果たす方法はさまざまだ。つまり、ラ・コラボラドーラへの参加は無料だが、「時間」を使って互いに助け合わなければならないことになっている。そうすることで、一般には、お金を払わないと助けを得られないような作業も仲間がカバーしてくれるし、会社などの組織に所属していないと得にくい仕事に関する議論の相手も、簡単に見つけられる。私自身フリーランスなのでよくわかるが、経済的に厳しい環境で活動するフリーランス同士では、通常なかなか「タダで手伝ってほしい」と言いづらい状況も、最初から持ちつ持たれつが前提になっていることで、打開できるというわけだ。便利な仕組みだといえよう。

メンバー全員が、ここで仲間と時間や空間、関心事を共有し、コラボすることで、自分らしく働く機会が創り出されている。その取り組みが実を結び、二〇一〇年から一五年までの五年間には、ラ・コラボラドーラを通して、二〇二人の起業家やフリーランスが五四一五時間、二〇〇二件のコラボを実現し、自分の事業を軌道に乗せた。と同時に、地域経済にも貢献。その経済効果は、日本円にして三億円を越えると市は試算する。まさに、人のつながりが地域経済を支えているわけだ。

2 つながりで問題解決

補完通貨の中には、現代社会が抱える複数の問題に、人のつながりと現代的なテクノロジーを組み合わせることで対応できると、教えてくれるものもある。子どもから高齢者まで、市民がスマートフォンを利用する時代においては、アプリを使った補完通貨の利用が、地域や環境、人間関係に、思わぬプラス効果をもたらしている。

●一石四鳥の地域通貨「ラ・モラ」

マドリード市オルタレサ地区で生まれた「ラ・モラ(la mola)」＝モラは、生ゴミや使用済み食用油のリサイクルを推進する地域通貨だ。各家庭が、スマートフォンに無料のアプリ「モラの財布」をダウンロードして使う、電子マネー方式をとっている。住民は、ダウンロードする際にモラのユーザー登録をしてから、三ユーロ(約四〇〇円)で貸し出される専用のゴミ箱を手に入れる。それを使って生ゴミを貯め、地域の小学校に設置された回収箱に持っていくと、四キロにつき一モラもらえる。各家庭から出る生ゴミの量は、家族構成人数によって平均値がわかるので、その量を基準に毎月、モラが支払われる仕組みだ。食用油はペットボトルに詰めて、生ゴミを出すついでに、ゴミ回収箱の隣にある回収口へ入れる。

手に入れたモラは、地域にある約三〇の店舗や、モラ利用者が年に四回開くバザーで使うことができる。

「私は、二〇一六年から小学校で有機菜園の指導をしているんだけれど、この地域で15M運動を引っ張っていた隣人たちが、生ゴミを集めてコンポスト(堆肥)作りをする活動を始めたんだ。学校でも、子どもたちが給食の生ゴミを回収して、コンポストを作り、菜園に利用するようになった。

校庭の一角で，給食の残飯を集めてコンポストづくりをする小学生．

その活動を地域通貨と結びつけて、地域の活性化にもつなげようと考えたんだ」。

モラの利用を推進するメンバーのひとり、アンヘル・ルイスさん（五二歳）が、経緯を語る。

モラは現在、生ゴミと使用済み食用油の回収に協力している約二〇〇世帯に利用されている。

回収箱がある小学校を給食時間に訪れると、児童一〇〇人前後が四、五人のテーブルに分かれて食事をしていた。その日の残飯回収担当の子どもたちが、三人で青いバケツを持ってテーブルをまわり、皿に残された食べ物を集める。そのひとり、アンヘル・ルイスさんの息子のゴルカくん（八歳）は、「これをコンポストにして使うと、植物が元気になるんだよ」と教えてくれる。毎日、異なる学年の子どもたちが、交代で回収係を担う。

最後は、調理室にある生ゴミも集めて、全部を校舎の裏にある有機菜園とコンポストづくりの場所「ユートピア・コーナー」へ運んだ。そこには、くじ引きのガラポンのようなコンポスト作りの容器があり、そこにゴミを入れて一日に一回まわすことで、学内菜園用の乾燥堆肥を作っている。残りの生ゴミは、住民が持ってきたものと一緒に、青いゴミバケツに保管しておく。それを、環境NGO「エル・オリバール(オリーブ畑。El Olivar)」が取りにくる。

エル・オリバールは、ほぼ毎日、トラックで青いバケツをピックアップしては、コンポストを利用している都市近郊の農家に配っている。食用油も同NGOが、油のリサイクル業者へ販売する。その収益は、少年院を出た若者たちが自立生活するための家賃支援になるという。

マドリード市は一七年一〇月から、エル・オリバールのこの活動を助成してきた。ゴミ処理と結びついた地域通貨は、環境団体と連携して、マドリード市が毎年莫大な費用をかけて処理してきた生ゴミ(処理費用は一トンにつき、日本円にして三万円以上かかる)の問題の一部を、持続可能な、しかも青少年支援にも役立つ形で解決するのに、一役買っているわけだ。

「私たちが回収しているゴミだけでも、毎月二トンほどになります。市は、地域通貨ユーザーと連携するNGOの事業を支援することで、市民の環境意識を高めると同時に、ゴミ処理問題の一部を良い形で解決しました」とアンヘル・ルイスさん。まさに一石四鳥の取り組みだ。

「今後は、モラの利用分野をさらに広げて行きたいと考えています。たとえば、モラはユーロと交換できないものなので、時間銀行の〝時間預金〟と同じように、隣人同士がサービスを交換する時にも使えると思うんです」。

利用分野が広がれば、利用者のつながりも多様化し、社会に更なる安心を生み出す。

●「ティエネス・サル(お塩、ある)?」

日本でいえば、さしずめ「お醤油、貸してくれる?」だろう。二〇一八年、スペインでは、「ティエネス・サル(お塩、ある? Tienes Sal)?」というユニークな名前のウェブサイトとアプリを使った取り組みが始まった。

「またお塩を貸してもらうようになりましょうよ。(隣人と)コミュニケーションしましょうよ」。それが、この事業を立ち上げたソニアさん(三五歳)が掲げるキャッチフレーズだ。

「私は、留学をきっかけに、ドイツでマーケティングの仕事に就き、一一年間、向こうで暮らしていました。その間に、ドイツで隣人をつなぐウェブサイトとアプリを利用した仕組み、〝NEBENAN(となり)〟を作ったクリスティアンに出会ったんです。彼の取り組みに興味を惹かれ、スペインでも活用できないかと考えました」。

ドイツでは、「NEBENAN」が二〇一五年から使われ始め、今では一〇〇万人以上のユーザーがいるという。そのスペイン版が「ティエネス・サル」だ。

この仕組みに登録すると、ユーザーはアプリを通して近隣に住むユーザーと知り合い、会話することができる。そこで、たとえば「この辺りで美味しいコーヒー豆を安く買うには、どこへ行けばいいか知っている人はいませんか?」といった質問をすれば、誰かが返事をしてくれる。「ちょっと金槌が必要なんだけど、貸してくれる人はいませんか?」と尋ねて、手を挙げた人に借りた人もいれば、急用で飼い犬の散歩ができなくなった時、アプリでボランティアを探して頼んだ人もいる。

やりとりをしているうちに、趣味を共有したり、茶飲み友だちになった人も。基本的に、まだ知らない隣人と出会うために利用する人が多いと、ソニアさんは言う。

「スペインは、ドイツほど閉鎖的な社会ではありませんが、それでも都会へ行くと、特に若い人の間では、生身の人間同士のコミュニケーションが少ないと感じます。だから、チャットのような感覚で知り合えるアプリをきっかけに、実際に顔を合わせて付き合える本当の隣人関係が築ければいいなと考えました。私自身、子どもの頃を思い返すと、遠くの親戚よりも近くの他人の方が頼りになることが多かったので」。

二〇年二月現在、マドリード市とバルセロナ市、バレンシア市でサービスを展開しているが、若者から六〇代まで、すでに一四万人のユーザーがいる。三〇代が中心だ。今後、ほかの都市にも広めていく。

利用したい人は、まずソニアさんら女性三人の事業運営スタッフが管理するサイトから、氏名と住所を登録する。すると、ソニアさんらが、三〇〇〇〜六〇〇〇世帯ごとに区切った「ご近所」のどこに属するかを住所から特定し、その地域でのユーザーとして登録を行なう。そうすることで、地理的に近い所に住んでいるユーザーと知り合えるようになる。

ユーザー同士が見られるのは、基本的に氏名(と希望によって写真)とその人が記入したメッセージ、作っている「趣味やイベントのグループ」、「マーケット」と呼ばれるスペースに出品した中古品のデータのみで、住所などの個人情報は、わからない。あとは各自がやり取りや付き合いの中で、教えたり教えなかったり、関係を築いていくわけだ。サイトのユーザー登録ページには、三つの注意点が書かれている。

・親切に。画面の向こうには、「人」がいることを忘れずに。あなたはその人と話しているのですから、面と向かって言えないようなことは、書かないでください。

・正直に。ティエネス・サルでは、あなたの本名で登録し、(写真をアップし、)あなた自身として行動してください。あなただって、誰と話をしているのか、わかっていたいでしょう?

・人に手を差し伸べる準備を。隣人を助ける方法はたくさんあります。手を貸し、質問に答え、地域のために活躍しましょう。

ティエネス・サルでは、LINEやWhatsAppのような通常のコミュニケーションアプリと異なり、何かトラブルがあった場合は、すぐにソニアさんら運営スタッフが対応してくれる。ユーザー個人が問題を抱え込む必要はない。より安心して、まだ見ぬ隣人との出会いを楽しめるのだ。

「ユーザーからは、ティエネス・サルのおかげで新しい友だちができた、といった感想をはじめ、多くの応援メッセージが届いています。私自身、サラリーマン時代の仕事よりもずっと楽しいし、忙しくても幸せです」。

そう語るソニアさんの顔は、やりがいに満ちている。

この事業は、最終的に、スペイン社会に存在する孤独感や、移民など社会的に排除される存在が減ることを目指す。加えて、「マーケット」は、ご近所で不要な品を提供しあうことで、消費主義を考え直す場を築いている。ユーザーからは一切お金を取らないため、今はドイツのNEBENANの資金援助に頼っているが、近い将来、意義に共感する企業にスポンサーになってもらうことで活動費を賄い、運営スタッフの給料も払えるようにする予定だ。

「マドリード市では今、地域の時間銀行や地域通貨ともコラボしようと考えています。それぞれのユーザーがクロスオーバーすることで、より豊かな人間関係が築けることを期待しています」。

この計画には、スペインの時間銀行の第一人者、あのフリオさんも関わっている。

3 世界とつながる

これまで見てきたように、スペインで補完通貨を使っている人たちは、自分が直接利用している通貨や利用者グループ・地域だけでなく、ほかのタイプの補完通貨やその利用者ともつながり、地域の枠も超えてネットワークを築くことに、大きな意義を見出している。社会変革への高い意識を抱いた市民が、補完通貨を通して、世界レベルの連帯を築こうとしている。

●補完通貨国際会議

二〇一七年五月、バルセロナ市では、世界中から「補完通貨」に関わる市民が参加する「第四回社会的補完通貨国際会議」(五日間)が開催された。「社会的補完通貨」には、いわゆる地域通貨はもちろん、時間銀行や教育現場で使用するための通貨、仮想通貨なども含まれる。会議には、既存の資本主義経済・金融システムに疑問を抱き、世界各地で自分たちのニーズと理念に基づいた「もうひとつの通貨」を生み出し、利用する人々が、世界三四カ国から三五〇人前後集まった。彼らは補完通貨を用いて、新たな金融・経済・社会システムを構築しようと志す。

その中には、自治体の政策としての取り組みもあり、七つの事例が紹介された。スペインではない国からの事例も二つ紹介されたので、ここで触れておこう。

ひとつは、フランスのナント市で二〇一五年に導入された電子通貨「ソナント」だ。公益銀行が管理する、誰でも利用可能な補完通貨で、ユーロとの交換はできない。この会議での発表の時点では一八二店舗が利用を受け付けており、一四一五人の消費者が使っていた。それにより、およそ二二万四〇〇〇ソナント、約二七八〇万円相当の取引があったという。

イギリスのブリストル市では、二〇一三年に「ブリストル・ポンド」の流通が始まった。注目すべきは、市役所が、この補完通貨を市の政策へ積極的に取り入れている点だ。たとえば、地方税をブリストル・ポンドで受け取ったり、市民に起業のための資金をブリストル・ポンドで提供したりしている。利用開始当時の市長は、自分の給与までブリストル・ポンドで受け取っていたというから驚きだ。会議発表の時点で六一二店舗が利用を受け付け、一四六〇人が使用していた。加えて、地場産業への融資に使うことも検討されていた。

この会議で話をした社会活動家の中で特に異色の存在だったのは、「カタルーニャ総合協同組合

（CIC）」創設者のひとり、エンリック・ドゥランだ。彼は、二〇〇〇年代初め、現在の金融システムの問題を暴き、変革を呼びかけるために、三九の金融機関からニセの事業への融資を取り付け、日本円にして総額約七〇〇〇万円を手に入れて、社会運動につぎ込んだことで有名になった。警察に指名手配された後も「逃亡生活」を続けながら、欧州をはじめ世界中で既存の経済システムに疑問を持つ仲間たちと、連帯に基づく新しい社会的金融・通貨システムを築き上げようとしてきた（エンリック・ドゥランやCICについては、前著『ルポ　雇用なしで生きる』を参照）。

逃亡中のため会場には来られない彼は、インターネット・ビデオ電話を通して、自らが中心になって推進する「バンク・オブ・ザ・コモンズ」について話をした。

「バンク・オブ・ザ・コモンズ」は、「フェア・コイン」という社会的事業を推進する仮想通貨を用いて、世界各地で社会的連帯経済に取り組む人々を応援する銀行だ。仮想通貨で財源を作り、社会的事業に投資したり、社会的連帯経済を推し進める者たちが直接お金のやりとりをしたりすることで、既存の経済の枠組みとは別の次元で、連帯意識に基づく世界的な金融ネットワークを構築しようとするものだ。世界中の市民に、利潤よりも人とのつながりを重視する「もうひとつの経済」を広めようとしている。マネーゲームの場と化している現在の金融システムのベースにある、資本主義的理念そのものを覆す、革命的な提案だといえよう。

エンリックらの計画を実現していくには、もっと大勢の人が彼らのように、金融・通貨システムそのものを深く理解する必要がある。とはいえ、ある程度、同じ考えを持つ人間が、こうして経験やアイディアを共有していけば、そこに共通の価値観が生まれ、計画が前進するための環境ができていくことは、間違いないだろう。

●時間銀行の世界ネットワーク

「世界をつなぐ」挑戦は、この章の第一節「時間銀行全国大会」(三八頁)のところで紹介した、バレンシア市での時間銀行全国大会においても始まっていた。

「全国の時間銀行で、(日本では「スペイン語」と表現される)カスティーリャ語以外のスペインの言語を教える取り組みを始めたらどうかと思うんだけれど、どうだろう」。

会議の二日目、「時間銀行発展協会」代表のフリオさんが、そう提案した。

「スペインにはカスティーリャ語だけでなく、バスク語、カタルーニャ語、バレンシア語、ガリシア語など、複数の言語がある。この社会・文化的に多様な国で、私たちが本当の意味で共生するには、他国からの移住者がスペインの言語を覚えるだけでなく、スペイン国民自身も、国内の言語に関心を持つことが、重要じゃないだろうか」。

ほかのメンバーも、この意見に同意する。彼らは時間銀行の活動を通して、国内の異なる民族同士のつながりも深めようとしている。

そのうえ、更なる野望も抱く。

「時間銀行のグローバル・ネットワークを作ろうじゃないか!」

フリオさんが、力を込めてアイディアを披露する。

「まず、ネットワークに参加したい銀行を世界中で募り、その中心となる運営本部を創る。そこが、世界各地にあるメンバー同士の間での時間のやりとりを仲介するんだ」。

するとと、別のメンバーが、「『時間銀行たちの時間銀行』みたいなものを創ることが、必要になるね」と付け加える。スペイン各地の時間銀行間の時間のやりとりを管理する銀行のことだ。「国内の時間銀行たちの時間銀行」と、世界各地の時間銀行のやりとりを管理する「ネットワーク運営本部」があれば、たとえば、スペインのある時間銀行のメンバーがほかの国へ旅した時、現地のネットワークメンバーに観光ガイドを頼み、謝礼を時間で支払うことができる。

「そうすれば、時間銀行ネットワークを使って、国内外の旅行を企画することだって可能だ」と、フリオさん。時間銀行を使えば、金銭不要の民泊を準備することも難しくない。

「僕たちは実際、バルセロナでの会議に出席した際、現地の時間銀行の仲間に、時間預金からの支払いで宿を提供してもらったよ」と話す人も。グローバル・ネットワークができれば、世界中で人間同士の関係性と信頼だけを頼りに、現地の人の家に滞在したり、彼らと町を歩いたりしながら、旅を楽しむことができる。

「これまでにも、つながりのある時間銀行の仲間同士では、そういう利用方法をとってきた。正式にネットワークを構築すれば、時間銀行を通して、人のつながりのグローバル化が図れる」。

フリオさんたちは、そう考えている。

「時間銀行発展協会」は一九年現在、自らがまず国内の時間銀行のまとめ役となり、ホームページ内に「時間銀行グローバル・ネットワーク」のコーナーを作って、国内外の時間銀行にネットワークへの登録を勧めている。自分が所属する時間銀行がある町や、地域、国を超えて、時間銀行同士のつながりを築き、より多くの人と交流しようと呼びかける。

登録したい時間銀行の運営者（メンバー全員の仲介役をしている人）は、コーナーに書かれている説明に沿って、登録手続きを行なえばいい。それは、「タイム・オーバー・フロー」という時間銀行のために作られた無料ソフトウェアを使ったネットワークだ。まず、自分の時間銀行の名称や所在地、メールアドレス、電話番号、ホームページなどを登録し、「タイム・オーバー・フロー・グローバル・ネットワーク」のメンバーになる。次に、自分の時間銀行内に「時間銀行グローバル・ネットワーク」というユーザーを作り、運営者がその名前で、自分の時間銀行のメンバーがほかの時間銀行と「時間」をやり取りするための仲介役を担う。メンバーの誰かが、ほかの時間銀行のメンバーから受けたいサービスを伝えてきたら、ネットワーク上に掲載されている「提供できるサービス」の中からそれを探し、相手の時間銀行の運営者にメールで連絡するのだ。

ほかの時間銀行からの連絡を受けた時間銀行運営者は、依頼されたサービスが提供できそうなメンバーに内容を伝え、協力の同意を得たら、依頼者とつなぐ。こうして交換された「時間」は、サービス依頼者と提供者、それぞれが所属する時間銀行の運営者が、それぞれの時間預金にサービス提供の日時や内容とともに登録する。これで、やりとりは完了だ。

このネットワークには、一九年現在で三九団体が参加している。スペイン以外では、フランス、エクアドル、ドミニカの時間銀行が関わっている。スペインにある時間銀行のメンバーが、外国の時間銀行のメンバーと知り合った際に、ネットワークの話をして参加を促した成果だ。言葉の壁があるので、まだどこの国でもというわけにはいかないが、その輪は少しずつ広がっている。

また、一九年末には、フリオさんが中心になって、ほとんどがスペイン語か、よく似た言語であるポルトガル語を公用語とするラテンアメリカ諸国とスペインをカバーするネットワーク「イベロアメリカ時間銀行協会」も築き始めている。

フリオさんは口癖のように言う。

「時間という単位は、世界共通。どんな通貨よりも容易かつ自由な形で、どこででも支え合いと絆を生み出すことができる。そこが時間銀行の魅力だよ」。

お金よりも、時間をわかちあうことに価値を見出した瞬間、人は国境も超えて、より自由になれる。時間銀行利用者たちの、そんな声が聞こえてくる。

スペインの市民による社会変革への試みは、あらゆる場面で展開している。共通のキーワードは、「つながり」だ。つながりを力に、円やドルやユーロではない「もうひとつの通貨」を介して、新たな時代を切り開こうと闘う市民たちは、「お金」で「利益」や「経済成長」ばかり追求することを放棄し、もっと人間味にあふれた「もうひとつの経済」を実現しようとしている。

コラム スペイン人と訪ねた日本の時間銀行「ナルク」

二〇一八年秋、この章の第一節「人をつなぐ「時間銀行」」で紹介したカタルーニャ州ジローナ市にある時間銀行「ポン・ダル・ディモニ」(四八頁)のパブロさん夫妻が、日本へ観光に訪れた。

ナルク横浜にて，左からパブロさん夫妻，福江さん，著者，吉川さん．(提供＝パブロさん)

その際、彼らから「老後の暮らしを考えた時間銀行の例を知りたい」というリクエストを受けたため、特定非営利活動法人「ニッポン・アクティブライフ・クラブ(NALC＝ナルク)」の横浜事務所「ナルク横浜」を訪ねた。

ナルクは、職場を退職、引退した後も、ボランティアを通して、第二の人生における生きがいと健康を維持しようと考える中高年が集まり、一九九四年四月に設立された全国組織だ。二〇一八年現在、大阪に本部を置き、全国に約一一六の活動拠点を持つ。イギリス、スイス、オランダ、米国にも拠点がある。総会員数は、およそ一万七〇〇〇人だ。「自立・奉仕・助け合い」をモットーとして掲げ、シニアたちが、社会のニーズに応えるさまざまな活動を展開している。その中心が、会員同士がボランティアで助け合う「時間預託制度」(時間銀行)だ。

秋晴れの日、横浜駅から相模鉄道に乗って約一五分、鶴ヶ峰駅で降りて閑静な住宅街を歩いていくと、目的地の手前で事務局長の福江孝夫さんが待っていてくれた。一緒に、すぐ近くにある住宅の離れ家へ行く。玄関を入ると、横浜事務所代表の吉川武さんが迎えてくれる。この訪問での私たちの指南役は、七〇代コンビだ。

八畳二部屋程度の広さの事務所には、玄関前の事務スペースと、アクティビティに使う部屋があった。勧められた椅子に腰を下ろし、まずはスライドショーを見ながら、ナルク横浜についての説明に耳を傾ける。

お二人によれば、ナルク横浜は一九九五年から活動しており、二〇一八年現在、四〇〇人以上の会員がいるという。事務所に利用されている離れ家は、会員のひとりから提供されたものだ。活動は、時間預託制度を軸に、地域での奉仕活動(子育て支援や街頭募金活動、施設イベントの手伝いなど)や、会員同士の交流を図る同好会活動(コーラス、英会話、囲碁・将棋など)も行なっている。

時間預託制度では、毎年、七〇〇〇時間を超えるサービスのやりとりがされている。会員同士のやりとりの場合は、必要な交通費のみサービスを依頼する側が負担し、そのほかのサービス代は「時間」で支払う。時間預金を持っていない会員からの依頼も受けるが、その際は、交通費プラス一時間につき五〇〇円をナルク横浜の運営費として寄付してもらう。

「たとえば、病院などへの送迎サービスは、時間預金を持っていない会員からの依頼も多いです」と、福江さん。依頼されるサービスには、話し相手に始まり、草取り、見守り、囲碁、洗濯、マッサージなど、あらゆることが含まれる。

会員間のサービスのやりとりにおいても、買い物や食事作り、散歩など、高齢者のニーズに応えるものが多い。会員自身が、自分の親や家族のため、あるいは自分自身が高齢になった時に、時間預金を使うことが想定されている。

「ナルクでは、離れた地域にいる会員同士でも時間のやりとりができるんです。たとえば、地方に暮らす親の送迎や見守りを、その地域に暮らすナルクの会員に頼むことも可能です」。

地域内だけでなく、全国各地そして海外にある拠点も含めた形で自分の時間預金を利用できることは、親子や家族が遠く離れて暮らすことの多い現代日本では、とても有用だろう。

スペインの時間銀行との最大の違いは、一世帯三〇〇〇円の年会費があることだ。スペインでは、多くの時間銀行が、行政から場所や事務用品などを無償提供されているのに対し、日本ではそういう支援がない分、必要なのかもしれない。

「スペインでも、高齢化社会の問題解決に利用するケースが増えた時には、会費制も考えられるのかもしれませんね」とパブロさん。日本と平均寿命世界一を争うスペインの国民には、ナルクの経験が参考になると話す。

参考になるといえば、ナルクが目指していることもそうだ。地域包括支援センター（地域住民の保健・福祉・医療の向上、虐待防止、介護予防マネジメントなどを総合的に行なう公的機関）を中心とする、地域の生活支援のためのネットワークに参加することで、地域全体の問題解決力アップに貢献し、誰もが老後も安心して暮らせる環境をつくることを目標にしている。

スライドショーの終わりには、「時を超え、所を超えて、助け合い」と書かれていた。パブロさん夫妻は、ナルクの活動のコンセプトと、吉川さんと福江さんの丁寧な説明に感銘を受けた様子だった。

説明の後、パブロさんがこう尋ねた。

「皆さんの今の悩み、問題は何でしょう」。

すると、吉川さんと福江さんは口を揃えて、

「若い会員がなかなか増えないことでしょうか」。

現在の会員の平均年齢は、七四歳前後だという。

「私たちの時間銀行は、四〇歳前後です」とパブロさん夫妻。もともと第二の人生の意義を考えた人たちが始めた取り組みだけに、スペインの時間銀行とは担い手が異なるのだろう。

「お二人は、時間預金をどんなサービスに使っていますか」という質問に対しては、二人とも、

「実は、預金が溜まるばかりで、ほとんど使っていません」と苦笑する。

「ますます、若い会員を増やしたいところですね」とパブロさんが応じる。現在活動の中心となっている会員が、自身のために時間預金を使う必要性を感じる年齢になる頃にもナルクの活動が継続し、地域の力であり続けるためには、より若い世代の参加が望まれる。

話が終わると、隣の部屋で折り紙教室を開いていた女性たちが、彩りも美しい作品の数々を私たちにプレゼントしてくれた。

「若い人を勧誘する方法など、まだ考えるべき点はあるようですが、介護の問題を考慮に入れた取り組みには、いろいろ学ぶところがありました。訪問できて、本当によかったです」。

帰りの電車内で、パブロさんは満足げな笑みを浮かべた。

フェ．たくさんの本に囲まれて過ごせる．

III 社会的連帯経済の豊かさ

協同組合形式の書店ラ・カオティカ（109 頁）の一階にあるカ

「もうひとつの経済」を築くために、近年、世界中で取り組みが進んでいるのが、「社会的連帯経済」だ。そこには、「社会的経済」と「連帯経済」の二つの枠組みが含まれている。「社会的経済」は、フランスなど、ヨーロッパのラテン諸国でよく使われる表現で、二〇世紀前半から生まれてきた協同組合やNPO、財団、共済組合などが構成する。一方「連帯経済」は、一九九〇年代、ラテンアメリカで新自由主義的な経済改革が進む中、取り残された貧困層が自力で問題を解決しようと作り出してきた経済活動・運動で、フェアトレードやマイクロクレジット(貧困層など、銀行から融資を受けられない人々に無担保で少額融資を行なう制度)も含まれる。

既存の資本主義の問題点や矛盾を前に、「もうひとつの道」として誕生した二つを合わせた「社会的連帯経済」は、現在、補完通貨の場合と同様に、多種多様な担い手により、異なる分野、地域において活動を広げる。そして、やはり「つながり」を糧に成長している。

1 拡がる労働者協同組合

15M以降、スペインで拡がっている職場形態に、「労働者協同組合」がある。社会的連帯経済の中心的存在のひとつだ。全国に二万を超える協同組合が存在し、そのうち一万七〇〇〇以上は、労働者協同組合だという。二〇一七年現在、その労働者組合員数は二五万人を上回り、その半数は女性だ。また、二〇一三年以降、毎年、一〇〇〇を超える組合が生まれており、その大半が労働者協同組合の形式をとっている。二〇〇八年のリーマンショックによる不況で企業の求人が激減したことに加え、企業による雇用中心の労働形態とそれを基盤にした経済が持つ非人間的な性質に気づいた市民が、別の働き方を模索し始めたからだろう。

スペインでは、三人以上集まれば、あらゆる業種で労働者協同組合を設立することができる「協同組合法」が州レベル、国レベルで整備され、社会保障制度が整っている。その気になれば、誰もが職場の一形態として、協同組合を選択することができる。

労働者協同組合では、事業の運営やその方針の決定が、すべて組合員である労働者自身に委ねられる。そして、役職を問わず、組合員全員が一人一票の決定権を持つ。給料を決めるのも、労働者自身だ。新米でもベテランで重要な役割を担う者でも、給料は同じ、もしくは最小限の差にとどめられる。お金を稼ぐことよりも、組合員が公平な立場で協力しあうことで、自分たちの理念に基づいて働き、生活を向上させ、社会にも貢献することを、第一の目的としているからだ。

組合の事業内容は、教育、社会福祉、自然エネルギー、有機農業、フェアトレードなど、社会的意義を持ち、持続可能な世界を築くことを意識したものとなっている。ここではまず、私がユニークだと感じた具体例を紹介していこう。

●障がいを持つ仲間とつくるワイン&オリーブオイル

カタルーニャ州南部の地中海沿岸から、内陸に向かって緩やかな山道を車で一時間ほど登っていくと、道の左手に古い修道院を中心に築かれた小さな村が見えてくる。バイボナ・ダラス・モンジャズだ。一二世紀から続く美しい尼僧修道院は、巡礼の対象にもなっている。この人口一〇〇人ほどの小村の外れに建つ、ロッジのような暖かみのある木造の建物が、障がいを持つ人と働く労働者協同組合「ルリベラ(L'Olivera)」だ。前著では、バルセロナ市にあるルリベラの新しいプロジェクトを紹介したが、二〇一七年、今度は本部を訪れてみた。

「教育活動に軸を置くエスコラピオス修道会の神父が、一九七四年に弟子である女子大学生三人と始めたプロジェクトなんです」。

現代表を務めるカルレスさん(七〇歳)が、その設立経緯を語り始める。彼は創設当時、農業技術指導のために一年間だけ滞在するつもりで、ルリベラへ来た。ところが、指導すべきことが山積みな状態を目の当たりにして、「のめりこんでしまい、とうとう居ついてしまった」と笑う。プロジェクトを持続可能な形にするために、今行なっている事業であるワインとオリーブオイルの生産・販売のアイディアを思いついたのも、彼だ。利益を生むことができる一流のワインを造るために、自分で醸造家の資格まで取った。

「創設メンバーは、精神障がい者のセラピーとなる事業を実施するのに最適な自然環境があり、かつ、地域おこしを必要としている農村を探していました。そこで、この寒村で農業に関わるプロ

ルリベラの食堂．室内は明るく，外のテラスでの日向ぼっこも気持ちいい．

ジェクトを立ち上げることにしたんです」。

内戦（一九三六〜三九年）前は一二〇〇人ほどが住んでいた村も、彼らが来たフランコ独裁末期の七四年には、住民三〇〇人ほどの過疎地域となっていた。

「だから村おこしを始めたわけなんですが、創設メンバーは、目的意識のわりに事業運営のノウハウを持っていなかったため、最初はうまく行きませんでした」。

やがて、女子大生のうち二人はプロジェクトを去ってしまう。危機感を抱いたカルレスさんは、自らが中心となって、プロの農業技師をもうひとり雇い、事業の土台を築き始めることに。それから四〇年を超える闘いの末に、現在のルリベラがある。

訪問時、ルリベラが所有する村周辺の畑や村はずれに建つワイナリー、川辺に造られた事務所や作業療法センターでは、計五〇人の労働者が働いていた。そのうち二〇人が障がい者だ。小人症、ダウン症、クローン病、脳症、パーソナリティ障がい、統合失

ルリベラで働き，暮らす人たちと支えるスタッフ．

調症など、障がいはさまざまで、古くから働いている人は、カタルーニャ州内各地の社会福祉局から、最近来た人は、村が属するレリダ県の社会福祉局からの紹介で来た。最年少が二二歳、最年長は七〇歳だ。

障がい者のうち一〇人が畑とオイル工場、ワイナリーで働いており、四人は組合員でもある。残りの一〇人は正規の労働者ではないが、作業療法センターでの作業に取り組む。もともとはここの畑や工場で働いていたが、年齢とともに心身の障がいの状態が悪化し、今は作業療法センターでの作業に移ったという人もいる。そのほかに、生産部門の専門技師、ソーシャルワーカー、教育心理士、社会教育士、会計士などのスタッフがおり、労働者全体の四割が労働者組合員だ。

全労働者のうち三〇人は、事務所や食堂のある建物の一角に造られた居住スペースに暮らしており、そのほかは村内にある住まいや近隣の町から通う。

「昼食の時は、事務所スタッフを含め、全員が食堂に集まります」とカルレスさん。

やわらかな陽が注ぐ、テラス付きの広々とした食堂は、そこで働く仲間たち皆の憩いの場だ。車いすで介助を受ける元労働者も、まだここへ来て働き始めたばかりの若者も、思い思いの席に着き、自然と人の温もりを感じながら、食事時間を楽しむ。

「二年前からここで生活しているけれど、僕にとってはここが家庭だし、優しいカウンセラーをはじめ、一緒に過ごす人は皆とても好きだ」。

食事に来た三八歳の男性がそう言うと、「僕は、畑とワイナリーの仕事が気に入ってる」と、隣に座るインド系の二四歳の青年が微笑む。

私たちが訪れた五月初め、山あいに作られたブドウの段々畑では、農業技師と数人が、葉が虫に食われていないかチェックするなど、木の手入れを行なっていた。オリーブの収穫とオイル生産作業はすでに終わっている。ワイナリーでは、醸造のほかに、ワインボトルを磨いたり、ラベルを貼ったりする作業が進む。

ラベル貼りの仕事をするフランセスクさん(四五歳)は、もう二〇年以上もここで働いており、職場にとてもなじんでいる。

「布でここ(ボトルの首の部分)とここ(ボディ部分)をよく磨いてから、ラベルを付けるんだよ」。

細かいところまで丁寧に確認しながら、作業を進める。

「一番楽しいのは、やっぱり収穫期だね。いろいろな国からボランティアの若者たちが大勢来て、すごく賑やかになるんだ」。

ワイナリーでワインボトルを磨く作業をするフランセスクさん(右)と同僚.

収穫作業には、口コミでルリベラの活動を知った人たちが、国内外から手伝いにやってくる。自分たちの仕事に関心を持って訪ねてくるボランティアとの交流は、ここで働く者たちにとって、大きな喜びとなっている。

歓迎を受けるボランティアや、ふだんからルリベラで働くスタッフたちにとっても、障がいを持つ仲間たちとの日々は、喜びと充実感をもたらすものだ。「ここの皆は私にとって、第二の家族です。息子がお腹にいる時からここで働いていますが、七歳になった今でもよく連れてくるんです。きっと、ここでは皆がお金ではなく人を大切にしているから、居心地がいいんです」。

そんな話をしてくれるのは、教育心理士のエナールさん(三五歳)。彼女はもともと「子どもに関わる仕事がしたくて」教育心理学を学んだが、ここで働き始めてから、「いつの間にか障がいを持つ仲間と働くことに、夢中になっていました」と笑う。ほかのスタッフ同様に、月収は一二〇〇ユーロ（約一五万六〇〇〇円）と、決して多くはないが、お金以外に得られるものがたくさんあるので、満足していると話す。

「厳しい条件の下で、持てるものを最大限に生かし、困難を乗り越え生きる人と一緒に仕事をしていると、深い学びがあります。日々の問題を解決するヒントをもらえるんです」。

ルリベラでは、障がいを持つか持たないか、どんな障がいかに関係なく、できる限り全員が話し合いに参加して、日常生活から仕事内容まで、すべてに皆の意見を反映するよう努力している。障がい者を企業での労働に組み込むことを目的とするような、従来の障がい者社会復帰支援とは異なり、労働者協同組合として、そこに参加する一人ひとりの意思を尊重する形で、人間中心の労働空間を築いている。

そんな彼らの協働の成果である、年生産およそ一五万本のワインと二万八〇〇〇リットルのオリーブオイルは、ネットで購入できる。もしくは、村のワイナリーを訪ねて、直接購入してもいい。前著で紹介したバルセロナ市にあるルリベラで造られているワインも、現在、一般販売されており、同じサイトで買える。ちなみに、バルセロナ市のワイナリーでは、今、障がいを持つ若者がガイド役を務めるワイナリツアーも実施している。美味しいタパ（つまみ）が付いた、ルリベラのワインの試飲とオリーブオイルのテイスティングもできるから、ただ「美味しいワインが飲みたい！」という人にもお勧めだ。

●コラボが楽しい学校

カタルーニャ州の南隣り、バレンシア州の州都バレンシア市のすぐ近くには、ユニークな学校を運営する労働者協同組合がある。「フロリダ（Florida）」だ。もともと住宅協同組合から始まった協同組合運動が、一九七七年に農業技術学校を開いたことをきっかけに、教育のための労働者協同組合としての「フロリダ」を設立した。現在は、バレンシア市の中心から南へ八キロほどのところにあるカタロッチャ市の集合住宅街の外れにメインキャンパスを持ち、保育所から幼稚園、小・中・高等学校、大学、成人教育まで、すべての教育レベルで学校を運営している。

私たちは、そのメインキャンパスにある大学（学生数約二〇〇〇人）と中高等学校（日本の中学一年から高校一年までと、高校二年から三年までに分かれている。生徒数約六〇〇人）を訪ねた。中高等学校は、コンセルタード（行政からの助成を受けた私立校）で学費はかかるが、ふつうの私立学校よりも安い。

校門で出迎えてくれた広報担当者に案内され、壁面に煉瓦をあしらった三階建ての大学校舎へと向かう。事務所で校長（組合員）に挨拶をしてから、中高等学校の校舎へ移動する。と、その前に、「事務所に外国からのインターンの学生がいるんですよ」と、ドイツ人の少年（一八歳）を紹介された。ジョナくんだ。

彼は、この町でホームステイをしながら、大学の広報事業を手伝っているという。

「ドイツでは、メディアデザインを学んでいるのですが、語学力も付けたかったので、スペインで実習をしてみたかったんです」。

そう言う彼を含め、五人のドイツ人留学生がいると広報担当者が教えてくれる。

「フロリダでは、世界一四カ国の計六六校と交換留学やインターンを実施しています。だから、常に外国から来た生徒や学生がいます」。

大学校舎を出て、道路を挟んで反対側のブロックにある中高等学校へ行くと、こちらは白いモダンな建物だった。そこにいる生徒たちは、思い思いの服装で、自由な空気の中で学んでいる。案内役は、同校での教員歴一四年という数学のビセント先生だ。

一緒にいくつかの教室を回りながら、「私たちの学校では、教科書は使わないんです」と説明してくれる。確かに、どのクラスでも教科書を開いている生徒はいない。

「教材は、各教員が独自に用意して教材サイトにアップし、生徒はそれをダウンロードして使います」。

仮に自宅にパソコンやプリンターがなくても、学校に無料で使える機材とインターネットがあるので、問題ないそうだ。

教室をのぞいて行く中で気づいたのは、ひとつの部屋にいる生徒数が三〇人以下と、少ないことだ。加えて、どこの教室でも、授業内容をまだ十分に理解できていない、もしくは集中力に欠ける子どもは、前の方に集められている。

「ちゃんと学んでもらうことが大切ですから」とは、先生の言。先生の目の前に集められた子どもたちにも、特に悪びれた様子はない。

午前中の三〇分休憩の時間。校庭に出て、そこでおしゃべりをしている生徒たちに、ビセント先生と話しかけると、皆、にこやかに応じてくれた。この学校を選んだ理由を尋ねると、「兄さんが通っていて、楽しそうだったから」、「先生が友だちみたいで、雰囲気がいいから、転校してきた」など、校風が気に入っているという声が上がる。

大学の授業もやはり自由な雰囲気で、学生や教員の間に「相互協力」が定着していた。こちらも学費は公立よりも高いが、国と州、そしてフロリダ自体が提供する奨学金もあるので、貧困家庭の若者でも、進学は可能だという。

大学の国際化担当のビクトリアさんが、大学全体の構造を紹介してくれる。

「ここには、教育、ビジネス、産業工学、観光の四つの学部があります。といっても、それぞれ別々に動いているわけではなく、学生は一年生の時から常に、異なる学部の学生を含めたチームを組んで、勉強しています。教員も同様です」。

たとえば、産業工学部でロボット工学の研究をしている学生三人は、教員を目指す教育学部の学生ひとりを含めたチームを組んでいた。教育学部の学生は、ロボット工学の三人が書いた研究レポートの文章をチェックする。そうすることで、工学部の学生は、自分たちとは違う分野の人にも伝わるレポートの書き方を学ぶことができるし、教育学部の学生は、教育では大切な「人に自分の考えを伝える術」を身に付けることができる。互いにコミュニケーション力を高め、新しい視点で学び合えるということだ。

教員も、自分の専門学科の学生のみを指導するのではなく、他分野の学生にもアドバイスを行ない、また他分野の教員との意見交換もする。そうした経験が、視野の広い、高い指導力を持つ教員を育てると、フロリダでは考えている。

学生たちはまた、在籍中からキャンパス内で、あるいは地域の企業や公的機関で、専門を生かした具体的な仕事に携わる機会を持つ。たとえば観光学部の学生なら、キャンパス内に開業している旅行代理店で、実際にツアーを企画・販売することができる。

教室での授業も、全員が前を向いて教員の講義を聴くという形式はほとんどなく、そこにいる学生と教員、皆が話し合ったり、作業を助け合ったりする中で、学んでいる。

ビクトリアさんと訪ねたグラフィックデザインやビデオゲーム製作の教室では、ずらりと並んだパソコンで作業をする学生たちの周りにメモを書き込めるボードが並んでいた。部屋の四分の一ほどの空間には、ソファやクッションを用いた自由に集まれるスペースも設けられている。そこに集う者たちが、互いのアイディアや疑問、問題点をシェアできる、いかにも協同組合的な発想の教室が創られているわけだ。

こうした学校の教育方針や授業内容、経営方針は、すべて組合員の総会において決議される。ビクトリアさんは言う。

「フロリダには、教員から経営陣まで、このキャンパスだけで二〇〇人以上、保育所まで合わせると全体で四五〇人前後の労働者がいます。そのうち約七割は組合員です。教員の多くは組合員なので、自分たちの教育のあり方や学校運営に直接関わることで、大きなやりがいを感じています」。

そんな教員やスタッフの給料も、組合員が自分たちで決めている。

「ふつうの教員の給料が三なら、責任の重い校長は五です。その程度しか差がないのです」。

学生も教員もそのほかのスタッフも、自らが主体となって、その場を創り上げていく。その感覚こそが、労働者協同組合形式の教育機関の醍醐味だろう。

●協同組合を支える法律事務所

首都マドリードの中心、観光客が散策を楽しむアトーチャ通りを少し入ったところに建つビルに、複数の労働者協同組合が同居するフロアがある。それぞれのオフィスとなっているスペースは、透明なガラスで仕切られており、まるでひとつの会社のよう。互いの仕事ぶりが見えるオープンな職場空間にある組合のひとつが、法律事務所「マユー・コーペラティーバ（マユーはブラジルの先住民言語で「共同体の協同作業」の意。Mayú Cooperativa）」だ。

「二〇一四年、社会的連帯経済を構成するさまざまな協同組合や社会的企業、団体と協働するために、五人の仲間がこの事務所を立ち上げました」。

成り立ちを説明してくれるのは、二年前にメンバーに加わった弁護士のロベルトさん（五七歳）だ。大学生の息子二人と銀行員の妻を持ち、自身も以前は銀行で働いていたが、不況でリストラされたのを機に、以前から関心を抱いていた社会的な目的を持つ職場で働こうと、マユー・コーペラティーバに参加した。

「メンバーは皆、何かしらの社会運動に関わる過程で知り合いました。住民組織の活動家もいれば、貧困層のための社会的住宅を確保する活動をしている人もいます。だから、これまでの資本主義的な考え方とは異なる形での労働を推進する人たちを応援する法律事務所を設立しようと思った

マユー・コーペラティーバで働く弁護士のロベルトさん.

わけです。その考えに、私も共感しました」。

彼らの顧客には、いわゆる利益優先型の企業や団体は、基本的にいない。ふつうの法律事務所よりも安い料金で、これから労働者協同組合や社会的企業を作ろうとしている人の相談に乗ったり、経理で抱える問題を解決したりするのが、仕事だ。社会的な意図を持って起業を考える者はしばしば、法律や経営といった分野に疎く、最初にそこでつまずきやすいからだという。

そもそも正式に組合を設立する手続き自体が、素人には簡単ではない。

「スペインには全国レベルと各州レベル、二つの組合法があり、各協同組合は、どちらかの法律に則って登録を行なうことになります。つまり、法律を理解したうえで、どちらの法律の下で登録する方が自分たちに都合がいいか、決めなければなりません。たとえば、それぞれの法律が定める初期資本の総額は異なります。全国法ではゼロでも構いませんが、バスク州の組合法ならば三〇〇〇ユーロ（約三七万円）、マドリード州なら一八〇〇ユーロが必要です」。

細かい条件を判断していくには、やはり法律の専門家のサポートが必要というわけだ。

「登録を済ませて事業を始めても、それを軌道に乗せるには時間がかかりますから、私たちへの支払いがなかなかできない顧客もいます。そういう時は、支払い期限をずらすなどして、できるかぎり顧客の事業がうまく行くように応援するのです」。

現在、この事務所で働いているのは、税務専門家一人、会計士三人、そして弁護士のロベルトさんだ。勤め始める時には組合員である必要はないが、二年間働いた時点で、組合員になるかどうかを決めることになる。なる場合は、ほかの組合員と同様に、五〇〇ユーロの出資をする。そうして文字通り、経営者であり労働者でもある、労働者協同組合の一員となるのだ。

マユー・コーペラティーバでは、毎週金曜日の朝、非組合員も参加する全体会議を開き、仕事の状況を皆で議論している。

「今は事務所の経営も黒字になっています。何よりも、民主的で非営利という点では、一〇〇％自己目標を達成しているんです」と、ロベルトさん。彼らは、マドリードの社会的連帯経済関係者が自己評価の基準にしている、社会貢献度、非営利度、労働福祉環境、持続可能性、協力度、民主度を、一〇〇％に近づけることを目標にしている。ちなみに、ウェブサイトにアップされている二〇一五年時点の自己評価では、社会貢献度は九三％、労働福祉環境は七七％、持続可能性は九一％、協力度は八〇％の達成だった。

「志を共有しているだけでなく、給料も全員、同額の手取り一〇〇〇ユーロです。シングルマザーの組合員もいるので、もう少し上げたいところなんですけどね」。ロベルトさんが希望を述べる。だが、その口調に不満の色はない。給料の額以上にやりがいが大切だということだろう。

●公平で持続可能なエネルギー利用を提案

社会的連帯経済が重視する「持続可能性」の中でも、エネルギー問題に着目して、ユニークな活動を展開する労働者協同組合がある。バレンシアにある「アエイオルス(「電気・光のイロハ」的な意味。aeioLuz)」だ。電気工学、風力発電、太陽光発電、経営の専門家四人が集まり、ひとり一二〇〇ユーロ(約一五万円)の出資をして、二〇一六年に動き出した。給料は、各自がそれまで勤めていた会社のおよそ四分の一に下がったが、数年かけて同レベル(日本円で三〇万円前後)にまで引き上げられるようになることを目標に、事業を続けている。

「私たちは、「新しいエネルギーモデルのためのプラットホーム(PxINME)」の活動を通して知り合ったんです」。

バレンシア市の南に位置するカタロッチャ市の広場で待ち合わせたサルバドールさん(四八歳)は、アエイオルスをつくることになったきっかけを、そう話した。PxINMEとは、二〇一二年に15Mに参加する市民や再生可能エネルギーを推進する人々、団体が集まって設立した市民プラットホームだ。「今こそ環境(保護)とエネルギー主権、雇用を!」をスローガンに、大企業が政治家と結託して独占するエネルギー事業を、市民の手に取り戻し、皆に持続可能なエネルギーを利用する権利を保障するために、市民運動としてアクションを起こしてきた。参加者には、社会活動家や左派政治家、アーティスト、メディア関係者などもおり、政治家と大企業の不正なつながりを調査、追及したこともある。

「PxINMEでは、政府のエネルギー政策の問題点を指摘し変更を迫ること、市民の手でエネルギーをコントロールすること、誰もが公平にエネルギーを利用できるようにすることが、話し合われました。私は、以前からエネルギーは無料であるべきだと考えていたんですが、まさに同じ思いを持つ仲間と出会い、その理想を現実に近づけるための事業を始めようということになりました」。

サルバドールさんたちは、市民生活におけるエネルギーの公平で持続可能な利用を実現するために一番大切なのは、市民自身がエネルギーの賢い利用法を知ることだと考える。そこで、組合の事業の軸を、①教育、②節約、③再生可能エネルギーの自給自足、の三つとした。

教育では、子どもから大人、児童から役人や企業経営者まで、あらゆる人にエネルギーを賢く利用することと再生可能エネルギーの大切さを伝え、持続可能なエネルギー利用のための知識を提供するワークショップを行なっている。

「たとえば、小学校では、エネルギーはどのようにして作られ各家庭へ届けられているのか、再生可能エネルギーだけで生活することはできるのか、電気自動車用の蓄電池だけで生活に必要な電気が確保できるのかなどを、実験も交えてわかりやすく伝えています」と、サルバドールさん。子ども対象のワークショップでは、とにかく関心を抱いてもらうことに重きが置かれているという。

サルバドールさんらが直接、子どもたちに教えるだけでなく、親や教員に「ワークショップのやり方を伝授するワークショップ」もある。対象者によって、異なる内容が用意されているわけだ。

「誰もが賢いエネルギー利用を行なうためには、まず暮らしの中で、自分がどのようなエネルギーを消費しているのか、どうしたら無駄をなくせるのかを知ることが重要です。たとえば、電気代、ガス代、水道代の領収書に書かれていることをきちんと理解することができるだけで、それが可能になります」。

確かに、私たちの大半は、定期的に届く領収書に書かれていることの詳細まで把握しているとはいえない。余分に払っているものや、エネルギーを無駄に消費していることも結構あるだろう。だが、それに気づくためには、慣れない表現や説明、数字の並ぶ紙を、有効に利用する術を身につける必要がある。一旦、それを理解すれば、思いもしなかった形でエネルギー消費を減らし、環境にも懐にも優しい生活ができるようになると、サルバドールさんは言う。

「たとえば、電気会社の中には、利用時間帯によって電気料金の設定を変えている会社もあります。いつ利用するのが安価で効率がいいか理解できれば、簡単に節約できます」。

こうした知恵は、経済的な貧困を抱える世帯にこそ、有益だ。

「スペイン全体では人口のおよそ一一%が、ここバレンシア州では二三%が、生活に必要なエネルギーに十分アクセスできていません。その問題も、少しの投資と知識で解決できます。貧しいために電気や水道、ガスを満足に利用できずにいる人たちのために活動するNGOやソーシャルワーカー、役人には、その方法を学んで問題解決に役立てるよう、提案しています」。

スペインでは、貧困家庭が低収入のために電気代を支払えなくなると、生活保障のために、役所は一定期間、その料金を負担しなければならない。もし役所がアエイオルスのアドバイザーを雇い、それらの家庭に電気の賢い使い方を教えて、電気消費を減らすことができれば、結果的に役所は経費の節約ができるうえ、貧困家庭も自分で払える程度の電気代で不自由なく暮らせる知恵を身につけられる。そのノウハウを授けるのが、アエイオルスの仕事だ。「実際、ある町で電気代が払えなくなっていた二〇世帯に対してアドバイスを行なったところ、役所は三〇〇〇ユーロ(約三七万円)以上の節約ができました」。

ちょっとした知識が、環境にも生活にも優しいエネルギー利用を可能にする。

再生可能エネルギーの利用推進は、スペインの市民の間で、じわじわと広がりを見せている。とはいえ、電力会社から購入している場合、その料金設定や発電事業自体が社会的不公平や環境破壊をもたらしており、公平で持続可能だとはいえないことが多々ある。その問題を乗り越えるためにアエイオルスは、再生可能エネルギーの自給自足を提案する。

「太陽光などの再生可能エネルギーを利用した自家発電設備を設置する際に、一番手間と費用がかかるのは、設置届出の手続きです。私たちがその相談に乗り、安い設備の購入や届出手続きの方法をサポートすることで、各家庭が、自分たちが消費する再生可能エネルギーを自ら作れるようにすることを目指しています。そうすれば、家計の負担を減らすことができるのと同時に環境への負担も軽減し、私たち皆の共有財産としてのエネルギーを、市民の手に取り戻せるからです」。

アエイオルスが目指すゴールは、市民の手で新たなエネルギー生産・利用のモデルを作り上げることだ。これまでのような、家計にも健康にも地球にもネガティブな影響の大きいエネルギー消費のあり方を根本から変えるためには、政府のエネルギー政策にばかり頼っていても始まらない。私たち一人ひとりがエネルギー利用に対する認識を改めることが、何より求められている。それを伝え、広めていくことが、サルバドールさんたちの使命なのだ。

コラム

日本にも「労働者協同組合法」を

前著『ルポ　雇用なしで生きる』の中のコラム「ワーカーズ・コレクティブ」でも触れたように、日本で労働者協同組合の理念に基づいて働く人々は、もう二〇年以上、「労働者協同組合法」の制定を望んできた。

日本では、これまで協同組合に関わる法律といえば、農業協同組合(JA)や消費生活協同組合(生協)、漁業協同組合(JF)など、業種別の協同組合それぞれに関する法律があるだけだった。そのため、幅広い業種において労働者自身が出資して事業を行なう労働者協同組合は、中小企業等協同組合法が適用される「企業組合」や、特定非営利活動促進法が適用される「NPO法人」などの法人格を取得する以外に、労災保険などの社会保障の適用を受ける手段を持たなかった。

そこで、労働者協同組合を推進してきた「日本労働者協同組合(ワーカーズコープ)連合会」や「ワーカーズ・コレクティブ　ネットワーク　ジャパン」は、国会議員に働きかけて、「労働者協同組合法」の法律案を作り、国会での可決を目指してきた。

「働く人たち、つまり労働者自身が出資して、協同し、自己決定できる職場を作ることは可能だということを、社会に広く知らせるためにも、法律ができることは重要なのです」。

労働者協同組合運動の研究機関「協同総合研究所」の事務局長、相良孝雄さんは、そう強調する。相良さんたちは、この法律が成立し、「雇用する者・される者」という関係を超えた民主的な労働の場を、より多く生み出せるようになることを期待している。実現すれば、まさに協同労働の現場の声と行動から生まれた法律となる。

その内容の要点を紹介しよう。

まずは、この法律の「目的」だ。組合員となる労働者自身が出資して事業を運営するのはもちろん、「多様な就労の機会を創出することにより、地域において多様な需要に応じて事業が行なわれることを促進し、もって持続可能で活力ある地域社会の実現に資することを目的とする」と定める。スペイン同様、地域社会に貢献し持続可能な事業を行なうことが、労働者協同組合の役割なのだ。

「組合基準」では、一般の企業とは異なる「非営利性」が求められている。事業で得た利益は、就労創出や教育のための資金として積み立て、翌年度の事業に繰り越すことを義務づける。それ以上に余剰金がある場合のみ、組合員に配当される。出資したら儲けがもらえる、という資本主義的企業の論理とは、まったく違う。個人が金儲けをすることではなく、協同組合全体の利益と社会貢献にこそ意味を見出すのが、労働者協同組合ということだ。

また、その「設立」は、準則主義による。つまり、労働者協同組合は、ＪＡや生協、ＪＦといった協同組合が国の認可を受けないと設立できないのに対し、組合法に準じた形で届出をするだけで、創ることができる（設立には、発起人が三人以上必要で、登録には組合員が五人以上いなければならない）。

こうした性質を持つ労働者協同組合が、法制化を通じて広まり、「労働者が主役」の協同組合の姿を改めて社会に提示できれば、従来の働き方や職場のあり方に疑問を抱いている若い世代に、もうひとつの選択肢を提供することにもなる。

現在、私の周りには、ＮＰＯ法人で働く・働いたことがある三、四十代の友人が複数いるが、彼らは以前から、こんなことを訴えている。

「職場の話し合いの中では、若い世代の意見より、理事や創立メンバーの声が優先されがちだ」。

「事業のほとんどは公的補助金を受けて実施されているため、行政側がお金だけでなく、口まで出してくる。だから、自分たちが思い描いている形での事業運営が、なかなかできない」。

「〇〇支援、といった事業の場合、本当はその当事者自身が積極的に意見を出し、責任も分かち合って実施するほうが、皆が主体性を持って参加できるのに、今はどうしても支援する側・される側の立場の違いを取っ払いきれない」。

これらの不満や問題点を解消するには、労働者協同組合が最適ではないか。

法制化前の二〇一九年末現在でも、ワーカーズ・コレクティブでは、組合員約一万人が、家事援助や介護、保育や託児、生協の業務委託、弁当や食事のサービスなど、多岐に渡る事業を展開している。ワーカーズコープでは、約一万四〇〇〇人が、ビルメンテナンス、介護保険事業、公共施設の運営、就労支援など、六〇種類以上の業種で働いている。こうした協同の精神を持つ者たちの輪が広がるよう、「労働者協同組合法」を成立させ、それを十二分に生かしたいものだ。

2 「経済界の常識」を変える協同組合

スペインでは今、私たちがこれまで企業でなければ取り組めないと思っていたような産業分野にまで、協同組合が進出している。また、組合法に後押しされて、日本では考えられない形式の協同組合も、誕生している。

●市民の再生可能エネルギー全国ネット

カタルーニャ州の古都ジローナの町外れの丘には、「ジローナ大学科学技術パーク」のエコで現代的な建物が並ぶ。建物全体の窓のひさしが太陽光パネルになっていたり、フロアの奥まで日が差し込むように壁面が総ガラス張りになっていたり。そこでは、新たな科学技術を用いたさまざまなプロジェクトが運営されている。その一角に、再生可能エネルギー利用を推進する消費者協同組合「ソム・アナルジーア(私たちはエネルギー。Som Energia)」がある。

そのオフィスは、敷居のない広いフロアに机が並び、働く人皆の顔が見えるオープンな空間だ。スタッフは、同僚の息づかいを感じながら、それぞれ自分のパソコンに向かって仕事をしている。見渡すかぎり、一見して若い人が多い。その中では比較的年長で、二〇一〇年の組合設立当時からの組合員であるマルクさん(四四歳)が、案内をしてくれる。

「私たちのように社会変革を目指すプロジェクトの多くは、四〇歳以下の世代が支えています。人生を含め、何かを変革へと導く力を持つのは、本来、若者ですから。ここの労働者も、大半がジローナの外から来た若者たちです。ちなみにこの事業は、もともとジローナ大学で環境経済学を教えていたオランダ人教授が、学生のプロジェクトとして始めたものなんです」。

ドイツやオランダ、ベルギーなどでは、一〇年時点ですでに消費者が自分の意思で再生可能エネルギーを利用できる仕組みとしての協同組合が存在していた。そこで、スペインでも挑戦してみようと考えた人たちが、大学のプロジェクトを応援し消費者として参加する形で、消費者協同組合が誕生する。

「ふつうに電気を使っていると、仮に契約している電力会社が再生可能エネルギーを供給していると謳っていても、実際に自分が消費しているエネルギーは、必ずしも再生可能エネルギーではありません。だから、できるかぎり再生可能エネルギーを供給するという明確な目的を持つ電力事業を始め、社会的意識に基づいて再生可能エネルギーを使いたいと考えている消費者に応えたいと思ったんです」。

こうしてソム・アナルジーアは、スペイン初の、再生可能エネルギー利用を推進する市民が支える協同組合となった。

「ヨーロッパのほかの国における同種の組合の活動を見れば、私たちのような組合の存在が、いかにエネルギー消費のあり方をより良い方向へと進化させているかが、わかります。今はまだ、供給する電力の五、六%しか、自分たちが生産する再生可能エネルギーでカバーすることができていませんが、近い将来、一〇〇%に近づけたいと思います」。

九十四、五%を占めている他社からの買い取り分は、すべてが再生可能エネルギーではないが、できる限り、その割合が多い会社から買うようにしている。と同時に、組合員からの投資を得て、少しずつ自前の発電能力をアップさせている。太陽光発電とバイオマス発電、小規模水力発電を組み合わせて、発電量を上げていく予定だ。

ソム・アナルジーアには、二〇年二月現在、約六万五〇〇〇人の組合員がおり、各組合員は、事業に年一〇〇ユーロ(約一万二〇〇〇円)の投資をしている。もちろん、それ以上の投資も歓迎される。現実に、組合員のおよそ一割は、追加投資をしている。そこに一〇万件以上の契約から入る利益が加われば、組合員と契約数が増えるに従って、自前の発電システムを増設することが可能になるだろう。現実に、カタルーニャ州内で少しずつ広がってきたソム・アナルジーア利用者の輪は、次第に全国へと拡大し、今や全国レベルの電力供給を行なうまでに成長した。

「当初はカタルーニャの事業というイメージが強かったのですが、口コミで情報が広まり、今では全国から私たちと契約したいという連絡が来ます」。

ソム・アナルジーアの夢を支えているのは、消費者組合員に加え、そこで働く労働者たちだ。まだ組合員ではない者を含め、およそ七〇人いるスタッフは皆、できるかぎり平等で民主的な組合運営を望み、給料も初任給からベテランまでの差を一・六倍以内に収めている。全労働者が一五〇〇ユーロから二四〇〇ユーロの月収で働いているということだ。労働者協同組合のような体制を築いており、今後、消費者協同組合であると同時に、労働者協同組合でもあることを目指す。

私たちが訪ねた時にオフィスにいた労働者の中で一番若いアラムさん（二三歳）は、一八年の秋からここで働いている。大学では現代史を専攻したが、卒業後、それを生かせる仕事は見つからず、ここに就職するまでパンの配送会社やバルに勤務していた。

「そんな時、別の協同組合で働く友人に、ここを紹介されたんです。何より、労働環境に魅かれました。組合員になれば、自分も一票の権利を持ち経営に参加できることが、最大の魅力です」。

アラムさんのような若者からマルクさんのような中年まで、ソム・アナルジーアに関わる人すべてが、電力の利用を通して、市民生活と地球環境の未来を考えている。その姿が、私たちにまで希望を与えてくれる。第Ⅱ章で紹介したジローナ市にある時間銀行「ポン・ダル・ディモニ」（四八頁）を運営するパブロさん夫妻も、ここの消費者組合員だ。

●市民の携帯電話通信組合

「ソム・アナルジーアに触発されて、この組合を作ろうと決心したんです」。

消費者協同組合「ソム・クナクシオ（私たちはつながり。Som Connexió）」の創設者、メルセ・ボテージャさん（五二歳）は、いかにも楽しげにそう話す。バルセロナの南、国際空港があるアル・プラットトゥ・ダ・リュブレガットゥの倉庫街にあるオフィスでは、一七人の若者がパソコンに向かっている。ソム・アナルジーアに比べると規模はずっと小さいが、開放感のあるオフィスの雰囲気はどこか似ている。メルセさんの起業の発想が、ソム・アナルジーアから来ているからだろう。

「長らく人材育成・派遣の仕事をしていたのですが、不況の時、この国には本当は何が必要なのかを、改めて考え始めました。仕事で大学院生と話をしていても、働きがいよりも安定を優先して公務員になりたがる人が結構いるのを目の当たりにして、若者の労働に対する考え方を変えていくようなことをしなければと思いました。そんな時、ソム・アナルジーアを知り、やりがいを感じる事業を市民の手で民主的に運営するのは素晴らしい、それが電力事業で可能なら、電話通信事業だってできるんじゃないか、と思ったんです」。

電話通信業界は、スペインでも日本と同じく、大企業が牛耳っている分野だ。しかし、そのあり方に、メルセさんは大いに疑問を抱いている。

「不公平で、人間にも地球にも有害なことばかりしています。それを変えるために働こうと決めました」。

電話通信会社は一般に、割引やプロモーションと称して、不要なサービスをたくさん付けた契約を奨励し、結果的に消費者にとって不利益な契約プランを販売していると、メルセさんは考える。

「スペインではまた、国が四つの大企業に携帯電話の電波利用権を長期契約で配分しており、それ以外は参入できないうえ、各社は基地局アンテナや光ファイバーなど自社のサービス提供力を上げるための投資と工事を、独自に行なっています。どれも本来、ひとつで済むものなのに、何本もつけるのは環境破壊につながります」。

つまり、企業は顧客の利益や環境の保護よりも、自己利益ばかりを考えた経済活動をしているのだ。

そんな電話通信業界で、ソム・クナクシオは、市民による市民のための携帯電話とインターネット通信の事業を志す。

「まず、Wi-Fi サービスは、このカタルーニャ州から始まった市民 Wi-Fi であるグウィフィ・ネット(guifi.net)がすでに存在しますから、彼らに協力を依頼して、インフラを提供してもらっています」。

グウィフィ・ネットは、市民が自らアンテナやモデムを設置しシェアすることで、既存の電話通信会社に依存せずに、誰もが自分のニーズに合わせてネットを利用できるネットワークを築いてきた(前著『ルポ　雇用なしで生きる』八九頁参照)。そのネットワークを使えば、今ではスペイン各地、そして近隣諸国とも、インターネット・コミュニケーションがとれるようになった。そのインフラは「共有財産」とされ、それを使えばソム・クナクシオも既存の大電話通信会社に頼らずに、顧客にインターネットサービスを提供することができる。

携帯電話事業については、先述のように国が企業を指定して配線の権利や電波利用を規制しているため、ソム・クナクシオは協同組合としてそれらの企業と契約し、彼らの持つ線や電波を利用しなければならない。独自のものとはいかないのが不満なところだが、それでも消費者一人ひとりのニーズに合わせた契約をするなど、人の暮らしと権利を軸に置いた経営をしていることが、誇りだ。

「私たちは、パッケージ売りをせず、一つひとつのサービスがいくらかかるか、きちんと説明して、消費者に自分が必要なサービスだけを契約するように勧めています。企業は、たとえばデータ容量を上げても値段は同じですよ、などと言って、余計なサービスの入った契約をさせますが、結果的に余分な電気代がかかり、消費者の利益になりませんし、環境にも悪影響を与えます。組合員は、私たちの社会的連帯経済ならではの経営を支持して、契約してくれているんです」。

メルセさんが誇らしげな表情を見せる。

ソム・クナクシオには現在、五〇〇〇人近い組合員がいる。その六五％あまりはオフィスがあるカタルーニャ州の住民だが、他州にも組合員利用者はいる。わずか一五〇人の組合員で始めた設立当初、メルセさんは無給で働いていたが、今では年間に一万八〇五〇ユーロ（約二二〇万円）の給料をもらえるまでになった。

「ここでは初任給と一番高い給料の差が、二倍までと決まっています。私の給料は一番安いランクですが、その二倍の額をもらっているスタッフは、まだいません。現時点で最も高いのは、仕事が大変なオペレーターで、年収二万二三〇〇ユーロです」。

スタッフは原則一日七時間労働で、毎日交代でひとりだけ、朝九時から夜九時までの電話対応を担う。

「皆が同じように責任を持って仕事に臨んでいる分、満たされた気持ちで働けます。始業時間もフレクシブルですし、場合によっては自宅で仕事をしても構いません。自分らしくやりがいを持って働ける職場づくりを心がけています」。

ソム・クナクシオのスタッフは、なぜ、そして何のためにこの事業が必要なのかをよく理解している。

「僕は、運輸会社で働いていましたが、ネットニュースでこの組合のことを知って関心を持ちました。企業利益中心で、人間や地球環境をないがしろにしている会社のあり方はおかしいと思っていたからです」。

そう話すのは、顧客サービス担当コーディネーターのディダックさん(二六歳)だ。二〇一六年一〇月、カタルーニャ州政府の若者支援プログラムの奨学金を受けて、一年間、インターンのような形で働き始めた。

「一年目の彼の給料は、州政府が払ってくれたんですよ」と、メルセさんがニヤリ。インターン終了後も続けて、ここで働いている。

「15Mに参加した頃から、社会変革に関心を持っていました。五歳年上の兄は今、自分の仲間と三人で労働者協同組合をつくり、電気、水道、ガス工事の工務店を営んでいます。そんな兄の影響もあって、社会的連帯経済に興味を抱いたんです。自分が組合の創造と成長に関わっているという感覚が気に入っています」。

ディダックさんら若者の参加と関心が、この組合の事業を全国へと拡大させている。私がこの組合のことを知ったのも、実はマドリードのコワーキングスペース(シェアオフィス)を訪ねた際に、三〇歳前後の女性が、「私の携帯電話の契約は、ソム・クナクシオという協同組合とのものなのよ」と教えてくれたおかげだった。

●「混合協同組合」の書店

「中学生くらいの時から、本屋を開くのが私の夢だったんです。妹と二人で、よく本屋さんごっこをしていました」。

そう微笑むマイテさん（四〇歳）は、アンダルシア州の州都セビリア市で、「ラ・カオティカ（カオスのごとく。La Caótica）」というユニークな名前の書店を、協同組合形式で運営している。街中のセタ（きのこ）と呼ばれる大きな屋根に覆われた広場のすぐ近くの路地にある、おしゃれな店だ。通りに面した一階はガラス張りのカフェで、古本が並ぶ本棚に囲まれている。客はコーヒーを飲みながら、好きな本を自由に読むことができる。二階から上が書店で、フロアごとにセクションが分かれている。どの階にも中古のバスの座席など、リサイクル家具を使ったくつろぎの空間が設けられている。四階には、組合員が自由に本を借りられる図書館もある。

新刊本を販売する書店が古本を置いたり、本を貸し出したりしているというところに、ラ・カオティカの理念が現れている。

「ここは、本を売る場所ではなく、文化や芸術、それを大切に思う人々と出会い、交流し、学ぶ場なんです」。

マイテさんは、ラ・カオティカの前身となった書店を二〇〇八年、仲間二人と始めた。労働者協同組合として、各自五〇〇〇ユーロ（当時約七五万円）を出資し、わずか三五平方メートルのスペースを借りての開店だった。その後、賃貸料がより安い場所を探し、現在の所に店を移して、店名もラ・カオティカに。組合の形態も、「混合協同組合（Cooperativa Mixta）」に変更した。

「二〇一一年に、アンダルシア州の組合法で、混合協同組合が認められたので、運営する私たち労働者組合員以外にも、一八人の出資者を募りました。今では二二人出資者がいます」。

「混合」というのは、組合員に、「労働者」、「消費者」、「出資者」、「事業協力者」と、異なる役割を担う者がいるからだ。

「私たちの場合、(二〇一八年現在)書店で働く私のような立場の人間以外の出資者のことを、ミクロメセーナ(クラウドファンダー)と呼んでいます。芸術への愛と共感から投資をしているからです」。ラ・カオティカを支えているのは、詩や文学、美術、演劇などの芸術活動と社会問題に関心を持つ読書家や学者、アーティストを含む、大勢の市民だ。ミクロメセーナのほかに、八〇人あまりいる「消費者組合員」は、加入する際にまず、自分の好きな本を一冊購入し、図書館コーナーに寄付する義務を持つ。その後は、自分で決めた一定金額(大体二〇～五〇ユーロ)を毎月ラ・カオティカに払い、「本預金」を持つ。その預金を使って本を購入する仕組みだ。預金には、毎月五%の利子が付き、年に一度、さらに五%割引のクーポン券ももらえる。

「組合員の大半はこの地域の住民ですが、中にはバルセロナに住んでいるけれど、セビリアにいる家族のために組合員になっているという人もいます」と、マイテさん。ラ・カオティカを舞台に、読書と芸術文化のネットワークが築かれていく。

書店スペースでは、毎週のように演劇や読み聞かせ、新刊発表会などの芸術文化活動が展開されている。こうした活動を提供しているのは、「事業協力組合員」と呼ばれる人たちだ。彼らは、自分たちがこの書店スペースを使って実行したい事業を提案し、初回に一〇〇ユーロ(約一万二〇〇〇円)支払えば、それ以降はいろいろな事業を有料もしくは無料で行なうことができる。

訪ねた日の夜は、地元の劇団の女優二人が、四階の本棚とカウンターの間の通路を舞台に、女性

ラ・カオティカの事業協力組合員である女優たちが，店内で劇を上演.

の権利についての小作品を上演していた。カウンター前に並べられた一〇脚ほどの椅子が客席だ。ふだん本を手にとる店先に座って、目の前を行き来する役者の演技を見つめる観客は劇の一部となり、作品テーマ「妊娠したとたんに、男は無責任にも去っていき、みじめな暮らしをするはめになった女性」の人生をともに考える。

上演終了後、「なぜかとても感動した」と、女優たちと抱擁を交わしながら帰っていく観客の姿は、幸福感に満ち足りていた。

この文化的で粋な事業を支えるマイテさんたちの収入は、月に一二〇〇ユーロ(約一六万円)と、決して多くない。とはいえ、彼女にとって、ラ・カオティカは「職場」以上の存在だ。

「ここで働いていると、温泉につかっているようにリラックスして、私らしくいられるんです」。

スペインでも日本同様、出版業界の不況と書店の経営難が問題となっているが、マイテさんたちの事業は、むしろ売り上げを伸ばしている。

「今年(一八年)は昨年に比べ、三八%アップしました」。

だから、事業の拡大も検討中だ。

「私が二人の娘を連れて、ほかの町や国に移住し、同じような書店を開くのもいいかな、と思っているんです。世界中の書店経営者がつながり交流するようになれば素敵なんですけどね」。

セビリア発の芸術文化のカオスが世界の隅々まで押し寄せていき、新しい形の書店を生み落としていけば、出版業界のあり方も大きく変わることだろう。

3 つながる協同組合・社会的企業・行政・大学

スペインでは、前節で見たような、経済の仕組みを大きく変える潜在能力を秘めたユニークで多様な協同組合が、業種を超えたつながりを築き始めている。そこに企業や行政、大学組織も加わることで、その可能性は一層広がってきた。社会変革を目指す者たちは、境界線を取り払い協働することで、もうひとつの経済を牽引しようと試みる。

●サンツ協同組合ツアー

バルセロナ市と国内各都市、および欧州諸国をつなぐ鉄道の主要駅サンツの南西は、かつて繊維工業が栄えた所だ。工場で働く労働者の仕事と生活の舞台となったサンツ地区とその隣接地域は、労働運動や協同組合活動が盛んな地域だった。しかし、一九三九年にフランコ将軍による独裁政治が始まり、民主的な空気がかき消されてからは、労働運動や組合主義が、長らく沈黙の闇へと追いやられていた。しかし、その歴史を大切にし受け継ごうとする地域住民の手によって、現在、そこに社会的連帯経済が拡がり、地域の協同組合主義に新たな息吹を吹き込んでいる。

「ツアーは、まずこの繊維工場跡から開始したいと思います」。

今は公園になっている工場跡で、エルバさんとマルクさんが宣言する。サンツ協同組合ツアーの始まりだ。案内役の一九七七年生まれコンビは、社会的連帯経済や市民運動、環境問題などの社会的テーマを扱う書店の運営と、政治と社会を変えるためのワークショップを展開する労働者協同組合「ラ・シウタットゥ・インビジィブラ(見えない町。La Ciutat Invisible)」のメンバーだ。

「目の前の建物は、一九世紀、繊維工場でした。ここには当時、工場だけでなく、食堂や店など、さまざまなものがありました。それらは協同組合によって運営されていたんです」。

ツアーは、一九世紀から二〇世紀前半にかけての地域の協同組合史から始まり、今の協同組合活動と市民運動の紹介へと続く。地域全体がその住民たちによって運営される伝統は復活を果たし、サンツ地区周辺には、カタルーニャ州の社会的連帯経済ネットワーク「連帯経済ネットワーク

オキュパイで獲得した工業団地カン・バッリョ．

（XES《シェス》）」に参加する小規模な協同組合が、五〇近くある（XESについては、前著『ルポ　雇用なしで生きる』一一四頁も参照）。

二人に従い路地を散策していくと、前著で紹介した協同組合形式の倫理銀行（社会的連帯経済に関わる事業に融資することを目的とする銀行）「COOP57」をはじめとする複数の労働者協同組合が入るビルの前を通った。そこは昔、消費者協同組合が利用していた建物だ。途中、休憩を兼ねて立ち寄ったのも古い協同組合の建物で、現在は市が所有し、住民が運営する地域の文化センターになっている。二階建の建物の一階はカフェスペースで、その周りや二階には住民が学習会やワークショップに利用できる部屋が並ぶ。

労働者協同組合が運営するバルの前を通り、最後にたどりついたのは、二〇一一年六月にいわゆる「オキュパイ（占拠）」で獲得した工業団地「カン・バッリョ（Can Batlló）」跡を、複数の協同組合が利用している所だ。面積九万平方メートルの敷地内に建つ煉瓦造りの重厚な建物は、繊維産業から始まった地域の歴史色を保ちながら、新たな住民の経済・社会活動の拠点にふさわしい空間を演出している。

「ここの建物は、リーマンショック前後の不動産危機以降ずっと、所有者がまったく利用せずに放置していました。そこで、私たち住民は、地域の中心にあるこの広大な土地と歴史的建物を地域のために利用したいと考え、バルセロナ市に土地と建物を買い取り、市民に提供するよう要求してきました。しかし、なかなか対応してくれなかったため、期限を決めて、その日までに解決策を提示してくれなければ、オキュパイすると宣言したんです。その後、返事がなかったため、二〇一一年六月、遂に三〇〇〇人ほどで占拠し、自分たちで有効活用を始めました」。

そうマルクさんが説明する。三〇〇〇人を構成したのは、15M参加者やずっと地域活動を行なってきた住民、地域にある協同組合の組合員などだという。住民の実力行使に慌てた市は、所有者と交渉し、土地の一部は所有者自身がマンション建設などに利用する、という条件で、残りの土地と建物を譲り受ける合意に達した。市の所有となった建物の一角には、現在、バルセロナ市とラ・シウタットゥ・インビジィブラなどの協同組合が構成する社会的連帯経済の推進・研究のための組織「クオプリス(Coòpolis)」のセンターを始め、地域住民が協同組合として運営するバル(図書館を併設)、印刷所、車椅子製作所などが並ぶ。

そこからほど近い土地には、若手一四人の建築家協同組合「ラコル(集団的。LACOL)」が設計し、住宅協同組合のプロジェクトとして建てられたアパート「ラ・ボルダ(牧畜農家。La Borda)」がある。七階建ての建物は、二〇一九年現在、スペイン一高い木造建築だという。その設計は、環境と共同性を強く意識したものだ。

「建物内には、共有の洗濯場、多目的スペース、ゲストルームなどがあり、各部屋のベランダには仕切りがないんです」。

完成前に内部を案内してくれたラコルのメンバー、カルレスさん(三一歳)が言う。彼らは、地域の協同組合が依頼する建築設計を、社会的連帯経済が重視する持続可能性や環境保護、人間中心という概念を生かす形で、安く請け負っている。ラ・ボルダの設計も、その延長線上にある。

ラコルの建築家たちが設計した住宅協同組合アパート，ラ・ボルダ．

「家賃も、六〇平方メートルの部屋で、この地域では破格の四〇〇ユーロ(約五万円)前後なんです。ふつうなら、一二〇〇はします。また、将来は太陽光パネルも設置できたらと考えています」。

とことん環境と住民自身のことを考えた住宅の一階には、協同組合が運営する食料品店もある。

「土地は市のものなので、住民はあくまでも組合員として建物に出資し、家賃を払って部屋を借ります。何らかの理由で出て行く際は、出資分を返金され、居住の権利を組合に戻すんです」。転売するなど、投機の対象にはできない。組合員全員が協力して、エコで住み心地の良い生活環境を創っていくことを志す。

この「ラ・ボルダ」の前で、サンツ協同組合ツアーは終了した。およそ二時間の散策を通して、この地域の住民のコミュニティづくりに対する姿勢をよく知ることができた。協働の力を使って、自らの手で地域を動かし、豊かさを生み出す。そんな住民の意欲に魅せられた。

ちなみに、このツアーを希望する人は、ラ・シウタットゥ・インビジィブラにメールや電話で事前に申し込めばいい。料金は、参加人数に関係なく一グループ三〇二・五ユーロ(税込約三万七〇〇〇円)だ。リクエストすれば、英語でのガイドもある。

●つながる社会的連帯経済の主人公たち

先述のように、サンツ地区の協同組合は、カタルーニャ州の社会的連帯経済に関わる組織・団体をつなぐXESに属することで、州内で同じ志を持って活動する組織や団体とつながっている。この本に登場するカタルーニャ州内の組織・団体は、XESのメンバーだ。そして、そのXESが、スペイン各州にある社会的連帯経済のネットワークとつながることで、各地の社会的連帯経済関係者は、全国レベルでのつながりを築いている。そのまとめ役は、「オルタナティブ連帯経済ネットワーク（REAS）」だ。REASについては前著でも触れたが、ここではその中身をもう少し詳しく見てみよう。

全国ネットワークとしてのREASのウェブサイトを見ると、ページの頭に「ネットワークのネットワーク」と書かれている。つまり、REASは業種ごとのつながりと州ごとのつながり、すべてを結びつけるネットワークなのだ。

業種ごとのつながりには、「リデュース、リユース、リサイクルの活動をする組織・団体」、「倫理銀行」、「再生可能エネルギー」、「フェアトレード」、それぞれのネットワークがある。州ごとのつながりについては、一七ある自治州のうち、一四州に社会的連帯経済のネットワーク(大半は名称にREASと付く)が存在し、それらが全国ネットワークとしてのREASに参加している(この本で紹介する組織・団体は、このネットワークのメンバーだ)。

REASは、既存の経済が人間の幸福や地球環境をないがしろにし、弱者を切り捨てる傾向をますます強める中で、経済に人のぬくもりを取り戻すために社会的連帯経済を広めようと、一九九五年に非営利団体として誕生した。二〇〇〇年から現在のような「ネットワークのネットワーク」となった。そこに参加する者たちと彼らのネットワークは、経済分野での活動だけでなく、自分たちが目指す「もうひとつの経済」の構築に必要な政治提言も、積極的に行なっている(前著で紹介)。

このREASが中心となって築いている、もうひとつのネットワークに、「社会的マーケット(Mercado Social)」がある。その定義は、次のようなものだ。

「倫理的で民主的、かつエコで連帯意識に基づいた生産、配給、モノ・サービス・知識の消費活動のネットワーク。社会的連帯経済に属する企業や団体、および消費者や消費者グループによって、特定の地域内に作られる。目的は、そこに参加する者の需要のかなりの部分を参加者同士でカバーし、連帯経済をできる限り資本主義経済から切り離すことである」。

社会的マーケットでは、参加メンバーが、できるだけ自分たちのネットワーク内で消費、生産し、得た利益は社会的マーケットのメンバーである倫理銀行に預けることで、その融資で新たな事業を始めるメンバーを増やすことを奨励している。相互扶助の論理だ。これが進めば、社会的連帯経済の循環が生まれる。

二〇一九年現在、九つの州に社会的マーケットが存在する。その州のREASが組織している場合もあれば、別の独立組織として、あるいは協同組合として運営されていることもある。

具体的にどんな企業や協同組合が、そこに参加しているのだろう。マドリード州の場合を例に、そのマーケットの内側をのぞいてみよう。

各社会的マーケットは、参加メンバーの情報が職種ごとに掲載された、持ち歩きに便利なカタログを作っている。それを見れば、一目でそのマーケットの全体像が摑める。

マドリード州の社会的マーケット(Mercado Social de Madrid)のカタログには、食料品、接客・飲食、コミュニケーション・デザイン・情報通信技術、健康・福祉、レジャー・観光、文房具・印刷、財政・保険、司法サービス、繊維・靴・小物、知識・教養、エネルギー・リサイクルなど、計二一のカテゴリーがある。それぞれに属する会社や店、協同組合の住所と電話番号、ウェブサイトなどが記載されている。社会的連帯経済やREASマドリードについて知りたい人のための相談所や、社会的連帯経済に関わる者が集う場なども紹介されている。

このパンフレットを手に、マドリード市の中心街を歩けば、社会的マーケットに参加している事業を、たくさん知ることができる。私自身が、あるコワーキングスペース(シェアオフィス)との出会いをきっかけに友人と歩いてみたルートを、紹介しよう。

出発点は、コワーキングスペース「キンタ・デル・ソルド(画家フランシスコ・デ・ゴヤが住んでいた場所の名前。Quinta del Sordo)」だ。それは、マドリード市の中心にあるマヨール広場から、南西へ歩いて一五分ほど下った所にある。画家であるオーナーが、アトリエを借りるのが金銭的に厳しい若いアーティストのために始めた社会的企業だ。現在は、六畳ほどの空間を仕切って貸し出すアーティスト専用のスペースと、机とパソコン一台でできる仕事用の事務スペースの、二つの店舗を運営している。両店舗はすぐ近くで、事務スペースの入り口にはカフェがあり、その壁には若いアーティストの作品が展示されている。

「この会社は、労働者協同組合ではありませんが、社長の意思で、私たちスタッフは皆、組合員と同じように、平等な給料で自由に意見を出し合って運営しています」。

若いスタッフが説明する。スタッフ四人と社長、誰もが一日八時間働けば、同じ月収一三九〇ユーロ(約一七万円)を手にする。

スペースのレンタル料も、格安になっている。月曜から金曜まで、朝九時から夜八時までの間、決まった場所を確保したい人は、月一九〇ユーロ支払えば、そこに自分の仕事道具を置いたままで利用することができ、電気代もインターネット代もカバーされる。もっと短時間、どこでも空いているデスクを使いたいだけだという人は、週二〇時間で三〇ユーロという選択肢もある。

利用者の中には、個人事業者もいれば、不要になった衣類や布を使って新しい物を生み出す事業を運営する労働者協同組合のように、同じ社会的マーケットに参加する仲間たちもいる。

キンタ・デル・ソルドでは、REASマドリードと協力して、社会的連帯経済の理念を広めるための活動も、ボランティアで実施している。私が訪れた日は、ジュエリーデザイナー、画家、詩人など、多分野のアーティストを集めてのワークショップを開催していた。

「従来、アーティストは、どうしても経済的な支えが必要なため、資本主義経済に依存する面が強かったのではないかと思います。が、もっと持続可能な、社会的連帯経済に関わる顔を持つこともできるのではないかと考えています」。

主催者であるREASマドリードのメンバーが、一〇人ほどの参加者に向けて、そうメッセージを送る。それから全員が二人一組になり、アーティストとしての自分の仕事が持続可能な経済に参加、貢献するにはどんなことが必要かを紙に書き出し、ホワイトボードに貼り付けていった。最後に、挙げられた内容について皆で議論する。

話し合いを通して全員が実感したのは、「アーティストが自分の生活と持続可能な社会をつくる活動への参加を両立させるには、まず芸術文化が人間社会にとっていかに大切かを、教育を通して社会に定着させることが必要だ」ということだった。それをどう実現していくか、引き続き、皆で検討することで合意する。

ワークショップが終わった後、私たちは、そこから少し北へ上ったところにあるサン・フランシスコ通りを東へ一〇分ほど歩いて、カタログにある「トラフィカンテス・デ・スエニョス（夢の密売人。Traficantes de Sueños）」という書店に立ち寄った。洗練された雰囲気の店内には、社会的連帯経済や社会運動、環境問題といった社会的なテーマの書籍をはじめ、現代世界を考えるために役立ちそうな本やグッズが並ぶ。やはりカタログに掲載されている、社会変革を目指すオルタナティブ新聞「エル・サルト（飛躍。El Salto）」も販売している。

書店を後にし、再び東へと進んでいくと、第Ⅲ章で紹介した労働者協同組合の法律事務所があるビルのそばを通った。彼らも、社会的マーケットのメンバーだ。

そこからは南下し、移民が多いことで知られるラバピエス地区へ。その名の付いた地下鉄駅から少し西へ進むと、サン・フェルナンド市場がある。市場の中には、カタログに出ている古本屋や食料品店などが並ぶ。それらを巡り、近くのカフェでコーヒーとチュロスで一服した後、すぐ隣の通りにある植物の種を扱う店「ヘルミナンド（発芽している。Germinando）」をのぞいてから、宿への帰路に着いた。

●サラゴサ大学の「社会的経済研究所」

コワーキングスペース「キンタ・デル・ソルド」に集まったアーティストたちの声にも聞かれたように、自分たちを取り巻く社会を変えていくためには、何より、次世代の考え方や社会意識自体を変えていく必要がある。それこそ、社会的連帯経済を経済活動の中心に押し上げるために、最も重要な視点だ。そう考え、ＲＥＡＳや行政と連携し、社会的連帯経済に関する教育を進めようとする大学教授に、二〇一九年四月、出会った。

アラゴン州の州都で、画家フランシスコ・デ・ゴヤが絵の修業をした町、サラゴサにあるサラゴサ大学。スペインで三番目に古い歴史ある大学の経済経営学部で教えるカルメン・マルクエジョ教授（五六歳）は、二〇一六年、学部の一角に、「社会的経済研究所（Laboratorio de Economía Social de la Universidad de Zaragoza）」という教室を作った。一見、何の変哲もない、ごくふつうの教室だが、その存在には大きな意味がある。

「この三〇年あまり、教育システムは、個人主義的で競争ばかりを煽る、偏った教育を進めてきました。子どもや若者は、協同作業の体験をすることが少なくなり、何でもひとりで上手くやらなければならないと思い込んでいます。しかし、歴史を振り返れば、人はむしろ、互いに協力することでこそ、問題を解決してきました。それを伝えるために、社会的（連帯）経済について、学生たちが自由に語り合い、学び、実行してみることができる、こうした場が必要なのです」。

マルクエジョ教授が、そう強調する。

サラゴサ大学の経済経営学部では、社会的連帯経済に関わる科目が五つある。が、それは二四〇単位のうちのほんの一部に相当するに過ぎず、しかも選択制だ。必修ではない。だから、学生の大半は、いわゆる資本主義的な利益第一主義の経営を学ぶことになる。もうひとつの経済の可能性を考えるきっかけすらない状態だと、教授は嘆く。

「私は、社会的（連帯）経済を広めるために、教育が担う役割はとても大きいと考えています。まず、協働に価値を見出す人間を育てなければなりません。この研究所は、その役に立つことを目指

サラゴサ大学社会的経済研究所で，著者(左)に研究所の活動について話をするマルクエジョ教授(中央)と大学院生パブロさん，学部生アナさん．

しています」。

研究所には二〇一九年現在、経済経営学部の教員四人と大学院生などの協力者が五人おり、彼らの下で、二〇人ほどの学生が活動している。

そこでは、学生たちが、まず「アイディアの苗床」と呼ばれる集まりに参加して、自分たちがどんな経済活動を行なえば、人の生活と環境を豊かにする社会を築けるか、アイディアを出していく。それから、教員や協力者の助言を受けながら、社会的連帯経済について学び、情報や知識を共有する。その後、社会的連帯経済に属する組織・団体でボランティアをすることで現場を体験し、最後に自分で独自のプロジェクトを企画し、実践する。

教授は言う。

「私は、小さな貧しい農村に生まれました。一九七〇年代初め、まだフランコの独裁が続く中、住む場所を確保するにも苦労するような環境の中で、両親は、近隣の一七世帯と住宅協同組合を作って、自分たちの力で住まいを建てました。そうした実体験こそが、社会的(連帯)経済を推進する人間を育てます。だから、学生たちにも、大勢の人と協力して、自分自身が直接関わるプロジェクトを考え、実行する体験をしてほしいのです」。

研究所の活動資金は、地域で社会的連帯経済を推進するサラゴサ市の助成金で賄われており、学生たちのボランティアの機会や社会的連帯経済に関する情報の提供には、REASアラゴンが協力している。REASのメンバーの、「若者に、人の暮らしと環境を第一に考えた経済のあり方に触れ、そこに参加してほしい」という強い願いの現れだ。

研究所の活動に参加する学生のひとり、企業経営学を学ぶアナさん(二二歳)は、選択授業で、社会的連帯経済に属する組織の運営について学び、この研究所に興味を持った。そして、「アイディアの苗床」に参加するようになり、社会的連帯経済について、より詳しく知ることになる。

「ボランティア実習では、週二回、ホームレス支援施設で、ホームレスの人たちに履歴書の書き方や面接について教える仕事をしました。最初は皆さん、余り話をしてくれませんでしたが、付き合いが長くなるにつれて、自分の悩みなどを教えてくれる人も出てきました。そんなある日、刑務所を出たばかりの男性が、仕事がないのが辛い、という思いを話してくれたので、養豚場の仕事を見つけてきて紹介したんです。すると、ものすごく感謝されました。その体験が、人と人のつながりの大切さを教えてくれました」。

この経験を生かして、アナさんは、サラゴサ近郊にある過疎の村五つをつなぐ、軽トラックを使った移動食料品店のプロジェクトを企画している。

「村々は、人口が高齢化しているうえ、人が少ないために公共交通機関が十分には整っておらず、村にある店の数もどんどん減っています。だから、買い物が不便だし、隣村同士のつながりも薄くなっている。そこで、それぞれの村で採れる農作物を含め、住民が売りたいものや必要なものを乗せた移動店舗で、村同士をつなぐことにしたんです」。

彼女自身、郊外で小規模な農業とワイン造りに携わる祖父を持ち、人口がサラゴサに集中することで衰退していく近郊農村の現実を、よく知っている。既存の資本主義経済が引き起こしてきた人口移動と農村の衰退に歯止めをかけ、豊かな暮らしと環境を守ることのできる経済の形を知った今、自分の将来にもそれを生かしたいと考える。

「卒業したら、ここで学んだことを形にしたワイナリーを、祖父のもとで経営したいと思います」と、アナさんは意気込む。

一方、協力者として関わる大学院生のパブロさん(二三歳)は、学部時代は法学部で、環境問題に関わる法律と労働法を学んでいた。研究の過程で、持続可能性と労働者を重視する社会的連帯経済に興味を抱き、経済学も学び始める。そして大学院では、社会的連帯経済を専門に選んだ。

「学部三年の時、学内のソーシャル・イノベーション・コンテストで賞をもらいました。それは、大学運営に学生自身が関わるプロジェクトを提案するコンテストで、僕は学生協同組合を作って学生自身が文具店を運営し、また学生と教員を含む学内労働者全員が参加できる〝時間銀行〟を作ることを考えました。そして、そのアイディアをＳＮＳで流したら、商学部、社会福祉学部など、さまざまな学部の学生一〇人が興味を示し、プロジェクトの仲間になってくれたんです。その経験を通して、連帯することの楽しさを知り、社会的連帯経済への興味が湧きました」。

プロジェクトは、メンバーの多くが卒業間近の四年生だったために実行には移せなかったが、パブロさんの大学院での研究の方向性は、この体験で決定づけられた。

そんなパブロさんとアナさん、そしてマルクエジョ教授は、最近、若者一般の間に根付いている個人主義と利益至上主義の根深さに、危機感を抱いている。

「学生の中には、授業内容をメモしたノートを貸すのに、一〇〇ユーロ取る人がいます」と教授がため息を漏らすと、アナさんもいかにも情けないという表情をする。すると、パブロさんが、「授業ノートの売買サイトまでありますよ」と、付け加える。

突き詰めれば、大学の単位までが、既存の資本主義経済の論理により、商品化されているというわけだ。

研究所を立ち上げて、三年。この大学の学生全体の意識は、依然として資本主義経済システムから離れていない。とはいえ、マルクエジョ教授は、研究所に集まる学生たちの経済に対する考え方や姿勢が少しずつ変わってきたことに、手応えを感じている。

「ここで人と出会い、意見を交換し、現場を通して理解を深め、出会った人たちと自分自身のために、行動を起こす。この活動を、これからも続けていきます」。

強い信念を胸に、教授は、行政と社会的連帯経済の実践者たちと手を取り合って、未来の協働の姿を思い描きながら、研究所活動を続ける。全国の大学に、こうした教育活動が取り入れられることを期待したいところだ。

ちなみに、世界的に有名なバスク州のモンドラゴン協同組合企業（労働者協同組合の集合体）に所属するモンドラゴン大学をはじめ、スペインでは、マドリードにあるコンプルテンセ大学やセビリア市にあるパブロ・デ・オラビデ大学など、「社会的連帯経済」を扱う講座を開講する大学は年々増え続けている。

●社会的経済スペイン企業連合

マドリード市で行なわれるデモの終着点として知られるプエルタ・デル・ソル広場から、ほんの五分ほどの所に建つビルに、「社会的経済スペイン企業連合（CEPES）」の事務所はある。団体名が表す通り、スペイン国内のあらゆる社会的企業、協同組合、財団などの組織・団体の声をまとめ、その代表として、スペイン政府や、欧州連合（EU）、国際連合（UN）などに働きかけをするのが、CEPESだ。彼らの下には、先に紹介したREASや「労働者協同組合連合会（COCETA）」、「住宅協同組合連合会（CONCOVI）」、「消費者利用者協同組合（HISPACOOP）」など、異なるタイプの組織・団体をつなぐネットワーク組織が集まっている。

「CEPESが代表しているのは、スペインの社会的（連帯）経済に関わる二〇〇〇万人以上の人たちです。彼らは、国内総生産の一〇％を生み出しています」。

そう説明するのは、事務局スタッフのカルロス・ロサーノさんだ。CEPESは、これまでに国内外で社会的連帯経済に関連する法律の制定を推し進めるなど、社会的連帯経済の広がりを生み出すための環境づくりに力を注いできた。近年は、特にヨーロッパ、そして世界全体で、社会的連帯経済に関わる人々をつなぎ、より広範な地域で人間の暮らしと環境保護を軸に置いた経済を築くために活発に動いている。

「たとえば、地中海地域の社会的(連帯)経済だけでも、スペイン、イタリア、フランス、トルコ、エジプト、チュニジア、アルジェリア、モロッコ、ポルトガルの九カ国で、一億人以上が働いています。私たちが互いに結びつき、学び合い、助け合えば、社会的(連帯)経済が広く知られることに貢献できます」。

ヨーロッパでは、CEPESのような組織の活動が、EU内での社会的連帯経済の認知度を引き上げている。「欧州経済社会委員会(EESC)」主催で、二〇一九年一一月二七日にトルコのイスタンブールで開かれた「欧州社会的経済の企業の日」記念行事では、社会的連帯経済がヨーロッパの未来のために担う役割の重要性が、再確認された。EU全体の経済においても、この分野は、域内総生産の八%を占めるに至っている。EU市民一三六〇万人が、「もうひとつの経済」の理念のもとで働いているということだ。そうした社会的連帯経済の世界で働く労働者全体の声を、国際レベルでの経済政策に反映する仕事において、CEPESが担う役割は大きい。

このように、社会的連帯経済は、その担い手のネットワークが更なるネットワークを創り出し、そのつながりが世界へ多方向的に広がっていくことを通して、「もうひとつの経済」を世界規模で構築しようとしている。ますます多様化する世界に生きる私たちが、これまでのように単に金持ちか貧乏かで分けられるのではなく、誰もが自然に共生する時が、少しずつ近づいているという希望を感じる。

コラム　ワーカーズコープの大学寄附講座

「単位を取るために受講したが、地域のさまざまな課題のために、利潤目的とは違った動機で働く人々をみて、もっと早くワーカーズコープ（労働者協同組合）について学んでいれば、就職活動も少し変わったと思った」。

これは、現在、大学で実施されているワーカーズコープの「寄附講座」で学んだ学生の感想だ。サラゴサ大学の「社会的経済研究所」と同様に、日本でも今、少しずつだが、社会的連帯経済の考え方を若者の間に広める取り組みが行なわれている。九九頁のコラム「日本にも「労働者協同組合法」を」で紹介した日本労働者協同組合（ワーカーズコープ）連合会では、二〇一四年より、計一五回からなる寄附講座（二単位）を大学で実施してきた。参加する学生の所属学部は、教育学部、経済学部、法学部などさまざまで、二〇一九年一二月までに、沖縄大学、福島大学、久留米大学、千葉大学、埼玉大学、新潟大学など、計一一の大学で開かれた。それは、日本社会に蔓延《はびこ》る労働に対する固定観念や、競争による利潤追求中心の経済活動、個人の暮らしと地域が分離している社会に、問題を提起する試みだ。

「働く意味とは何か、持続可能な地域に住み続けるためにはどうすればいいのか、地域でともに生き、ともに働くことの意味と可能性とは何か、という問いについて考える内容になっています」。寄附講座を企画する「協同総合研究所」の事務局長、相良孝雄さんは、そう語る。講座のカリキュラムは、各大学の先生との綿密な話し合いを通じて、その大学の学生が置かれている状況やこの講座と関連する既存の科目の中身を検討したうえで、それぞれの大学にふさわしい内容を、オーダーメイドで作る。たとえば沖縄国際大学では、「キャリア形成」に重点を置いているが、千葉大学では、近くに「ワーカーズコープちば」のフードバンクがあることを考慮に入れて、「地域の現実から出発すること」に焦点を当てているという。

また、講座の後半では、講義時間の半分を使って、グループディスカッションやグループワーク、パネルディスカッションなどを行なう。教員と学生、あるいは学生同士が双方向的に議論を展開することが大切だと考えるからだ。相良さんは言う。

「日本社会では、若い人たちは、(未熟な)自分は意見を言っちゃいけないのではないかと感じているようです。しかし、私も訪ねたスペインでは、年齢に関係なく、誰もがモノを言える環境があることで、市民一人ひとりが〝自分〟というものを持っている。そうした市民が集まってこそ、協同組合など、自治的な組織、団体が作れるのではないでしょうか」。

大学によっては、講座の最後に学生たちが実際に仕事おこしをしたり、自分たちの地域でどんなワーカーズコープを作ってどんな働き方をしたいか、したらよいか、具体的に計画してみることもある。それは、サラゴサ大学の実践と似て、学生自身が働く意味ややりがいのある仕事を考え、地域に貢献する方法を実体験として学ぶ絶好の機会だ。

講座を受講した学生たちは、どんな学びをしたのだろう。彼らが感想として述べたことを、いくつか拾い上げてみよう(文章表現は読みやすいよう著者が手を加えた)。

▼働くことの意味について

「講義を受ける前は、賃金や休日の有無、自分の能力に合うかのみを、仕事選びで重視していた。講義を聞いているうちに、仕事での生きがいや地域の役に立つことの素晴らしさなどを考えることができた。仕事を多面的に捉えられるようになった」

「生計が成り立つ、ということは外せないが、これを働く主な理由にはしたくないと、再認識した。これから何十年も働くことを考えると、働き方＝生き方とも捉えられるので、社会貢献や地域とのつながりが、働く意義になるような仕事がしたい」

「私にとって働くことはお金を稼ぐことで、それ以上でも以下でもない。が、この講座では多くの人の話を聞くことができ、それぞれの人にとっての働く意味を知ることができたのは、とてもよかった」

「働く第一目的は生活するため、という考えは、今も変わらない。賃金が低くてもやりがいがあればいいとは思わない。しかし、働くうえで、やりがいを見つけられることは、幸せなことだと思う。世の中の誰もが、自分たちが主体的に仕事をすることを理想としていると思うが、それがなかなか実現できない現状にこそ、問題があるのではないか」

▼「協同組合」について

「一番大きかった学びは、大学を卒業したら企業に行くだけでなく、協同組合という選択肢もあると知ることができたことだ。（ワーカーズコープから来た）講師の方たちが、自分のしていることに自信を持っている姿が、かっこよかった」

「ほかの授業でも地域づくりについて学んでいたが、どのように雇用を生み出すか、どう利

地域の魅力と課題を考え，自分たちができることを話し合う沖縄国際大学の学生たち．（提供＝相良孝雄）

益を上げて人を集めるか、という考えに偏っていた。それ自体は間違ってはいないが、地域づくりはモノやお金だけではできないと、気づかされた。協同組合の理念である相互扶助は、これからの地域づくりに欠かせないものになってくると思う」

「協同組合には、全員が平等で皆の話し合いに基づいて物事を決めるといった、ふつうの企業と違う点がある。それには、決めるのに時間がかかるという欠点もある。だが、最近のように、上の立場にいる人からの圧力に負けて部下が不正の隠蔽工作に走るなど、上の者に逆らえない社会では、物事に柔軟な対処ができないので、今こそ協同組合のような働き方が注目されるべきだろう」

▼地域との関わりについて

「地域の特性を生かした仕事、誰もが働ける仕事を持続可能なものにするためには、自分たちが主体的に動くことや議論を交わすことが、重要だと思った」

「地域にある医療生協の存在の大きさに気づいた。私が知らない、気づいていない面でも、助けられている気がする。ワーカーズコープが、これまで世間であまり大きく取り上げられておらず一般化していないのが、不思議だ。もっと知らせて、共感を広げていくべきだと思う」

「地域の課題と感じる事柄は、個人によって異なる気がする。たとえば、子どもがいる人には保育所の問題が大きく、自営業者には、過疎化や観光客誘致が問題になる。解決すべき地域課題の優先順位をしっかり決めることが、大事だと感じた」

これらの感想を読むと、寄附講座のような形で、若者たちに「もうひとつの経済」や「生き方」を考える材料を提供することが、未来をより良いものにしていくためにいかに重要であるかが、改めてわかる。

「講座を受けた学生たちの中から、地域や社会の課題を解決するために、自ら協同労働で仕事を起こす人が出てくることを、大いに期待しています」と、相良さん。

現在の日本では、協同組合についての講座のある大学自体が、少ない。若者が多様な価値観に出会う機会を増やし、「もうひとつの世界」を築くための人材を育てるためにも、この寄附講座のような社会的連帯経済に結びつく学びの場を、もっと増やしたいものだ。

のヨーグルト工場で働く人々.（161 頁）

IV

多様性を豊かさに変える

精神障がいを持つ人も参加する協同組合ラ・ファジェーダ

世界を支配してきたグローバル資本主義。それは、私たちに人間の分断と環境破壊をもたらしてきた。世界では、「先進国」か「途上国」かに関係なく、国民の間で貧富の格差が拡がっている。先進国と途上国の格差も解消されていないが、それ以上に危惧されるのは、国境を超えた経済的権力を持つ者が、あちらこちらの政治をも支配し、世界のあり方を好き勝手に決めていることだ。今や地球上の人間の運命は、経済界の強者の手に握られているといっても過言ではない。

競争の勝ち組による人間社会の分断化は、とどまるところを知らない。それでも、「経済成長のためには仕方がない」、「能力に差があるのだから、当然だ」といった、一見正しそうに聞こえ、実は非人間的な価値判断により、「役に立つ人間」が「役に立たない(とグローバル資本主義の牽引者によって判断された)人間」を切り捨てることが、ほぼ黙認されている。それどころか、切り捨てられた人々の決死の抗議や抵抗すら意に介さず、黙殺するか、容赦なく圧し潰す。そのいい例が、移民排除だ。

私たちが追い求める「生きる幸せ」を感じ、「希望」を抱ける社会を築くためには、この現状を変える必要がある。世界はすでに、あらゆる面で多様性に満ちた状況に置かれており、ひとつの価値観で覆うことは不可能だからだ。そこにある多様性をネガティブに捉えるのではなく、豊かさに変えていかない限り、私たちは幸福な未来を描けない。

このことを知る者たちが、多分野において、「多様性は豊かさを生む」ということを、実践を通して、私たちに語りかけている。

1 ともに生きる社会を育む公教育

「はじめに」で書いたように、日本では、教育現場において、事実上、人間(子ども)の分断化が進んでいる。が、そもそも公教育とは、現在のように子どもたちを「能力」で選り分けていくための制度なのだろうか。

●すべての子どもに教育を

スペインで二〇一一年に市民運動15Mが起きた際、デモの参加者の中には、「公立学校は皆のための、皆のもの」と書かれた緑のTシャツを着た教員たちもいた。この頃、公教育の現場では、財政緊縮政策による教育予算カットの煽りで、教員は減らされ、中学高校の選択科目数は減少し、教員の負担が増える一方で、私立校への優遇措置が進んでいた。政策の影響が特に大きかったマドリード州では、これに抗議する教員のデモが毎週のように行なわれた。家庭環境や個人の状況などに関係なく、どんな子どもも教育を受ける権利があり、それを保障するのが公教育だと通りで訴える教員の数は、どんどん増え、やがて「マレア・ベルデ(緑の大波。Marea Verde)」と呼ばれる大集団

15Mのデモに参加する保育士の友人(手を振る人)．着ているTシャツには，「公立学校は皆のための，皆のもの」と書かれている．

となる。緑のTシャツ軍団だ。「緑のTシャツはネットで販売しているのよっ」。

そう教えてくれたのは、公立保育園で保育士をする友人。彼女は、マレア・ベルデのデモにほぼ毎回参加していた。彼女の職場の同僚も、半数弱はデモ参加者だ。デモが平日午後の早い時間帯であっても、彼らは早退して集合場所へ向かう。子どもたちも、教員がデモに行くのを見送るのに慣れっこだ。自らの社会的主張を公の場で示す行動をとるのは大切だし当たり前のことだと、「先生たち」から自然に学ぶ。親と一緒にデモに行く子どももいる。教育に関するデモなら、中高生や大学生の姿もあるのが当たり前だ。

教員たちは、デモ以外にも、公教育のあるべき姿を守るための社会的行動をとる努力を惜しまない。たとえば、毎週一回は全員が緑のTシャツを来て登校したり、教室に集まり「公教育は皆のため！」と歌う動画を撮影してYouTubeにアップしたり、ストライキをしたり。その行動には、教育のありようを定めたスペインの「教育への権利に関する基本法」の精神を尊重する意思が込められている。

　この基本法には、第一条で、「すべてのスペイン人（およびスペイン在住の外国人）は、自らの個性を伸ばし、社会に役立つ活動を行なうことを可能にする義務教育を、無償で受ける権利を持つ」ということが書かれている。第一条の前にある前文には、「この法律は、自由と寛容性と多元性の原則に基づく共生のための規範である」という表現が登場する。

　つまり、公立学校で教える教員にとって、公教育の役割は、本来、子どもたちに競争をさせ、「能力」によって分けていくことではなく、社会・経済的条件や障がいの有無などの個人的状況に関係なく、すべての子どもが多様な人とすごし、さまざまな知識に触れて、市民として育つ場を最善の形で提供することなのだ。

　そう理解している教員は、学力アップよりも、いろいろな子ども・大人とのつながりの中で自由に育っていくことが、子どもたちの人生にとってより重要だと考える。スペイン人は、一九三九年から七五年まで続いたフランコ独裁政権の下で、差別的で抑圧的な教育を押し付けられた経験があり、民主的な公教育の大切さをよく承知している。先に紹介した保育士の友人のように、子ども時代を独裁政権下で過ごした五〇代後半以上の世代なら、なおさらだ。

　加えて、この国が、独自の言語を持つ州を含む一七の自治州で構成される「多民族国家」で、昔から「ヒターノ（ジプシー）」と呼ばれるロマも大勢暮らし、アフリカや中南米など複数の地域からの移民も多い国でもあることも、「自由と寛容性と多元性の原則に基づく共生」を重視する姿勢を後押ししているといえるだろう。

「公教育は皆のための、皆のもの」でなければならないのだ。

●異なる者たちが集い、学ぶ

「自閉症の子どもを率先して受け入れる小学校を担当しているんだけれど、来ない？」

第Ⅱ章で紹介した学校の時間銀行を推進するスクールカウンセラーのマイテさんに誘われ、二〇一七年五月、マドリード市の南東にあるビジャ・デ・バジェーカスの公立フランシスコ・ファトゥ小学校を訪ねた。彼女は当時、同校で州の教育オリエンテーター（校長を含む教員へのアドバイスと障がい児支援を担当）をしていた。

全校児童四六一人の同校には、障がいを持つ子どもが四〇人おり、うち五人が自閉症だ。スペインは、自治州ごとに教育制度に少しずつ違いがあるが、マドリード州では、障がい児は、義務教育一〇年間（初等教育六年間と中等教育四年間）において、「普通校」、「軽度の障がい児のための支援者が教室にいる学校」、「特別支援教室（各自の必要に応じて週最大一〇時間まで通える）がある学校」、「特別支援学校」の四種類の中から、ひとつ選ぶ。その選択には、親（保護者）と特別支援教員、州の教育オリエンテーター、地域の教育心理士、精神科医が関わる。

フランシスコ・ファトゥ小学校は、「自閉症の特別支援教室がある学校」だ。地域ごとに、聴覚障がい、発達障がい、運動障がいを持つ子どもを率先して受け入れる体制の学校が設置されており、週に何時間か特別な支援が必要だと判断された子どもは、そうした学校へ通える。

自閉症の子どもたちを率先して受け入れるフランシスコ・ファトゥ小学校.

マイテさんに案内され、同校の校長室へ行くと、真っ赤なセーターの五〇代くらいの女性が、にこやかに話しかけてきた。

「私たちの学校へようこそ！　まずはマイテと教室を訪問してください。休み時間になったら、一緒にカフェテリアでお茶しましょう」。

校長室の周りはガラス張りで、同校長の机も廊下から見える。

校長に促されるがまま、まず訪ねたのは、自閉症の子どもたちのための支援教室だ。

「虹の教室、と名付けているんです」と、マイテさん。ドアに虹の絵が飾られている。中に入ると、子どもが四人、指導教員と社会統合員と呼ばれるスタッフと、輪になって遊んでいた。

この教室には、五歳（就学前教育クラスの子ども）から一一歳まで、五人の児童が通っている。ここにいる時間数は、各自異なる。一番年長の少女（一一歳）は知的障がいもあり、自分のペースでしか物事を行

クラスメートの前でパブロくんが自分史を発表する．

なわないため、ここに長くいるが、五歳の少女は三歳から支援を受けており、今はほとんど自分の教室で学んでいる。指導教員と社会統合員は、彼らが「虹の教室」にいる間、手作りの道具を使って言語表現を指導するなど、学校や地域で安心してすごせるよう、支援している。

児童のひとり、八歳のパブロくんのクラスを訪問した。彼は幼い頃、まったく言葉を発しなかったため、両親が州の（子どもに関する）早期支援センターに相談し、三歳半から教育心理士に特別指導を受けるようになった。同校に入学した頃は「虹の教室」に長くいたが、今は大半の時間、自分のクラスにいる。

クラスではこの日、三人の子どもが自分史を発表した。担任のラウラ先生（二八歳）が、自分史を紹介する大きな紙を皆に見せながら説明するよう、促す。五、六人のグループで学習している子どもたちは、順に仲間のもとを離れて前に出て、自分で書いた

「八年間の歴史」を読みあげ、その後、クラスメートから質問を受ける。

先に二人が発表を終えると、ついにパブロくんの番が来た。だが本人は、なかなか前へ出ようとしない。隣りの席の少年が、懸命に先生の方へ行くよう話しかける。と、パブロくんはようやく立ち上がり、先生の誘導に沿って話し始めた。

彼が作った自分史は、ほかの子のものと違い、文章はなく、すべて写真で構成されていた。

「パブロは、視覚的な情報のほうがよくわかるのよ」と、先生が子どもたちに伝える。一方、パブロくんは、写真ばかりを見ながら、少ない言葉で説明を続けた。

パブロくんへの質問タイム。前の発表者の時の何倍もの手が挙がった。まるでパブロくんが話す機会を増やそうとしているかのようだ。

「以前、クラスで自閉症についての話をしたんです。だから子どもたちは、パブロを応援したくて、質問をするんです」。

授業の後、ラウラ先生がそう教えてくれた。

彼女は八カ月前にこの学校へ配属され、自分のクラスに自閉症の少年がいると聞いて、初め少し不安だったという。

「でも、前の担任から情報をもらい、本人も周囲にそれなりに馴染んでいる姿を見て、安心しました。パブロだけでなく、ほかにもいろいろなタイプの子どもがいて、皆が支え合ってくれるので、助かっています」。

パブロくんの隣りであれこれ世話を焼く少年は、貧しい崩壊家庭の子どもで、家では親が面倒を

9 歳になったパブロくん(右)は，誕生会に招いてくれた友だちと「虹の教室」でゲームに興じる．

見てくれず、とても辛い思いをしているという。親とは反対に、彼自身は周りへの気遣いがあり、パブロくんのことをとても気にかけている。

ラウラ先生は言う。

「各グループには、成績のいい子、そうでない子など、いろんな子がいます。皆が気が合うわけではありません。でも、ひとりの力では解決できないことも、皆で力を合わせればできることもある。そうやってともに過ごすことで、皆が人間として成長します。学校では、勉強ができるかどうかよりも、社会でよりよく生きられる人間を育てることが大切なんです」。

翌年、再会したパブロくんは、さらに社交性を身につけ、学校生活をより楽しんでいるように見えた。前年度までは、文章を読むのが苦手で、人に話しかけることもほとんどなかったが、今は自分から遊びに誘ったりするという。

「虹の教室」では、自閉症に対する周囲の理解を深めるべく、毎日一〇分間、自閉症の子がクラスメートをひとり連れてきて、一緒に遊ぶ時間がある。この日はパブロくんが親友を連れてきた。

「彼は、自宅で開く自分の誕生会にパブロを招待したくて、ずいぶんとがんばったんですよ」と、指導教員が教えてくれる。少年は、教員から「パブロは初めての人や場所が苦手だから、まずあなたの家のことを紹介して慣れてもらえば？」というアドバイスを受け、家族と家を紹介するビデオを撮影し、誕生会の前にパブロくんに見せた。それから一度、自宅に遊びに来てもらい、雰囲気を知ってもらった。おかげでパブロくんは、誕生会の当日、パーティを彼なりに楽しむことができた。

パブロくんの両親も、学校の教育のあり方に共感し、感謝している。私の依頼に応じて学校まで来てくれた二人は、その思いをこう語ってくれた。

「パブロが人と違うとわかった時、最初は不安でした。でも、学校では、一人ひとりを尊重し、互いを知り合い助け合えば、誰もが安心して生きていけることを教えてくれています。それで私たちも安心しました」。

午前一〇時半。学校では、子どもたちと教員のおやつタイムを兼ねた三〇分の休憩時間に入る。私たちも校長に誘われて、給食用の食堂にお茶を飲みに行った。

テーブルにはオープンサンドやクッキー、パンとジャムやバター、オリーブオイルなどと、コーヒーや紅茶、牛乳といったドリンクが並ぶ。そこに集っているのは全学年の教員で、校長を含め、皆がおしゃべりに花を咲かせている。

「こういう時にいろいろ話せるのが、いいのよね」と、先生たち。

「学習指導要領みたいなものは、あるんですか？」と尋ねると、口を揃えて「あるけれど、あくまで指針だから」と言い、教える内容や方法は、自分たちで相談して決めていると話す。

「日本では教師が忙しすぎるという問題があります」と言えば、「私たちもそう！」と応じるが、毎日学校に何時頃までいるかを問うと、「大体三時過ぎまで。ときに午後四時くらいまでかしら」という答え。日本では夜まで学校でクラブ活動の顧問や事務作業に追われる教員も多いと伝えると、目を丸くした。

「スペインの学校では、クラブ活動はあまりないんです。何かやりたい人は、地域のクラブに入るのが一般的。学校はそういう役割を担いません」。

地域によって多少変わるが、スペインでは基本的に子どもも教員も、学校（職場）にいるのは、せいぜい午後四時頃まで。授業は日本と同様に朝八時すぎに始まるが、終わりはランチタイムである午後三時よりも前で、その時間に親が家にいる家庭では、大抵、帰宅して家族と昼食をとる。昼食後の時間は、親も子どももまた別の場・人間関係の中で過ごすことが多い。いる場所、関わる人の幅が広いほど、視野が広がり、好奇心が湧き、心が鍛えられ、安心感も生まれて、寛容さも育つ。そこから更なる創造性と新しいアイディアが誕生するというわけだ。

教育現場が、さまざまな人間が暮らす社会のありようを反映し、異なる人たちとともに生きる心の習慣を育ててこそ、子どもたちは安心して大人への道を歩んでいける。

2

希望と生きがいは多様性の中に

これまで私たちは、いわゆる「経済力」によって、自分の人生を評価しがちだった。競争と格差を前提とする世の中では、既存の経済システムに則って「経済的豊かさ」、言い換えれば「たくさんのお金」を手に入れられなければ、希望や生きがいが持てなくても仕方がないと思いがちだった。しかし、補完通貨の利用や社会的連帯経済に取り組む人々の姿を通してわかったように、それは人間性そのものを否定することにつながる考え方だ。

子どもたちが、多様なつながりの中で生きることによって、人間としての成長と安心を得られるように、私たち大人も、資本主義的な価値基準による分断から脱出し、互いを知り合い、つながることによってこそ、希望と生きがいを手にすることができる。

●皆で築く第二の人生

マドリード市から北へ車で約五〇分。人口一〇〇〇人ほどの村、トレモーチャ・デ・ハラーマの入り口近くに、高齢者集合住宅「トラベンソル（Trabensol）」は建つ。近年スペインで広まりつつある「高齢者による高齢者のためのコハウジング（共用スペースを持つ集合住宅）」の先駆けのひとつだ。

トラベンソルの居住棟．すべての部屋が南側にテラスを持つ．

建物の前の通りに車を駐めて門を入り、ガラス張りの明るい玄関にたどり着くと、「よく来てくれました！」と、首にスカーフを巻いたおしゃれな紳士が迎えてくれた。元スペイン国営放送記者のハイメさん(八二歳)だ。私たちの案内役を務めてくれる。

トラベンソルは、ハイメさんら住人五四世帯が、二〇〇三年に住宅協同組合を立ち上げて、建設を始めた高齢者集合住宅だ。組合員である住人が自分たちで土地を探し、建物設計者を決め、土地購入と住宅建設・維持のために、一世帯につき日本円にして約一九〇〇万円を出資して、二〇一三年六月に完成した。

その計画自体は、ずっと前から進められていたとハイメさんは説明する。

「私は、現役時代、マドリード市郊外の町に暮らしていました。そこでは、子どもが同じ学校に通う親同士で〝親の学校〟をつくったり、消費者協同組合を運営したりしていたんです。その仲間たちの間で、定年が近づいてきた一九九二年頃から、集合住宅建設の計画が始まりました」。

協同組合の設立・運営の経験を持つハイメさんたちが中心となって計画を練り、友人や職場の同僚なども賛同して組合員になっていったことで、トラベンソルを建てるのに十分な組合員数と資金が集まった。

「私たちは皆、働きながら、高齢になった親の面倒をみたり、老人ホームを探したり、費用を工面したりする経験をしました。でも、子どもたちにはそんな苦労をさせたくありません。それに、どこも同じようなサービスしかない出来合いの老人ホームでただ余生を送るのは、ごめんです」。

平均寿命八二・八歳のスペインでは、日本と同じく、老後の生活への不安が大きい。費用が安い公的な高齢者施設は入居者数が限られ、高齢者の大半は、施設に入ることが必要になった場合、高い費用を払って私営の施設に住むことになる。だから、むやみにお金がかかるうえに他人任せの老後を過ごすより、できる限り自分らしい第二の人生を歩みたいと考えた中高年が、アイディアを出し合って、自ら企画し運営する組合形式の集合住宅を実現させたわけだ。

広い中庭を中心に作られた回廊状の二階建ての主建物には、プールや図書室、共用ルーム、大食堂、要介護者用デイサービス室などが配置されている。その東西に、五〇平方メートル1LKの部屋が計五四室造られた、五つの居住棟が延びる。建物内は、すべてバリアフリーだ。

「居住棟は、全世帯が日当たりの良い南向きテラスを持てるように、一列に配置されています。棟ごとに花の名前を付けて異なる色を塗り、迷子にならないような工夫もしてあるんです」と、ハイメさん。各棟への廊下の入り口の壁には、その棟を示す花の説明パネルも飾られている。

建物の南側に出ると、そこは広い庭になっており、立ったままで作業ができる菜園も作られている。庭へ続く広いテラスでは、七〇代の男性が講師となって、太極拳教室を開いていた。

「ここでは、住人が自分の特技や趣味を生かして、多種多様なアクティビティを企画しています。この太極拳教室もそのひとつです。だから、毎日飽きることがありません」。

ハイメさんによれば、一日中、何かしらのアクティビティが行なわれているという。そのスケジュールは、玄関を入ってすぐ左手にある掲示板に貼り出される。無論、参加は自由だし、無料だ。掲示板には、自家用車でマドリードへ行く人の「相乗り情報」や週末旅行のお知らせなども出ている。

主建物の回廊を巡っていくと、一階では温水プールで水中歩行を楽しむ人や油絵を描く女性たち、朗読劇に取り組む男女、脳トレに励むグループにも出会った。二階の図書室では、男性が住人から寄付された本を分野別に整理していた。

ここの住人は二〇一九年現在、六〇代から八〇代の男女八〇人。一人暮らしもいれば、カップルの人もいる。ハイメさんのような元マスコミ関係者から教員、看護師、手工芸職人、主婦など、経歴もさまざまで、同じ高齢者とはいえ、年齢も職歴も異なる知識欲旺盛なシニアが集まっている。

「週末は、ほとんど毎週、大食堂のスペースを利用して映画上映会を開きます。食堂には、そのために巨大スクリーンも完備しているんです。庭でガーデニングを楽しむ人や、トレッキングに行く人もいます。そうした活動の企画と運営は、すべて組合員である住人の手で行なわれます。そのために、四年ごとに九人の運営委員を選出しているのです」。

トラベンソルでは，住人が自分でさまざまな活動を企画する．テラスでは太極拳教室が．

ハイメさんはその運営委員のひとりで、九人のうちのひとりが、組合員代表を務める。

一方で、一日一回の大食堂での食事(昼食)の調理や全室の清掃と洗濯サービス、メンテナンスなど、経営そのものは、プロに委託している。各世帯が支払う生活費は、部屋代と有給スタッフが担当する掃除と洗濯、昼食、電気、ガス、水道、インターネット代を合わせて、日本円にして二人世帯なら月約一六万円、一人世帯なら約一三万円だ。住人が受け取っている年金は、だいたい月一五万円前後だというから、リーズナブルな額だといえよう。

別の所へ引っ越すために組合員としての居住権を放棄する場合は、初期出資分が返金される。そして、空いた部屋は、入居希望者(一八年現在、二六人が入居待ちリストに待機中)が初期出資金を支払って組合員となり、居住権を得る。住人が死亡した場合は、出資分の返金を受け取らずに、家族が

トラベンソルのランチタイム.

権利を引き継ぐことも可能だ。

　実際の暮らしぶりを知るために、一世帯を訪問させてもらった。組合員代表のマノロさん(七四歳)と妻マリカルメンさん(七七歳)が住む部屋だ。二人とも、かつては労働者のための学校で教職員をしていたという。初期投資金を用意するために売却した自宅にあった家具の中から気に入ったものを持ち込み、今の住まいのインテリアを整えた。

　落ち着いた雰囲気の部屋は、二人のこれまでの人生を物語る品々に彩られている。どの部屋もキッチンやトイレと浴室の位置など、基本的な作りは同じだが、自分たちで工夫した内装と家具がそれぞれの家庭らしさを醸し出す。二人は、今も労働運動や市民運動への関心を持ち続けているらしく、ソファのサイドテーブルには市民運動15Mが発行している新聞が乗っていた。

「このトレモーチャ・デ・ハラーマ村の市民政党にも参加しているんです」と言うマノロさんは、トラベンソル内だけでなく、村の住民ともつながっている。

「今の教育は、市場のためのもので、人が生きるためのものではなくなってきています。そうした問題に物申すためには、市民の政治参加は重要ですからね」。

教育者としての情熱は消えていない。

多彩な顔ぶれの住人たちは、毎日午後二時の昼食だけは、皆一緒に大食堂でとる。一時半頃には、そのテーブルセッティングが始まる。食器を移動トレーに載せるのは有給で働く若いスタッフたちだが、それを六人がけの各テーブルにセットするのは、住人ボランティアだ。毎日、二、三人が自発的に手を挙げるという。

食事は、スペインらしく、スープやサラダといった前菜、肉や魚や豆料理のメインディッシュ、そしてデザートのフルコースだ。飲み物も水だけでなく、赤ワインも用意される。

「このワインは、ワイン好きのグループが毎年、産地を訪れて、安く大量に仕入れてくるんです。案外おいしいですよ」と、食事に誘ってくれたハイメさんが勧めてくれる。

各テーブルでスープを注いだり、料理を配ったりするのも、住人自身だ。若い頃は妻任せだったからなのか、男性のボランティアが多い。

「ここでは、できる人ができることをやることになっています。誰にでも、できることとできないことがあり、また歳をとるうちにはいつか、ほとんどのことができなくなるでしょう。それでも互いに支え合っていけば、より自分らしく、安心して生活していけると思うのです」。

これが、この住宅協同組合を作った最大の理由だろう。二〇四〇年までには日本を抜いて、世界一の長寿国となるともいわれるスペインでの長生きの要因のひとつには、人の結びつきの強さも挙げられている。

トラベンソルの今後の課題は、介護だ。現時点では、まだ二四時間の介護が必要な人がいないため、そのための設備はあってもスタッフはいない。介護のような、住人だけではカバーしきれないニーズは、行政と交渉し、誰もが分け隔てなくカバーしてもらえるような方法を探らなければならない。スペインでは、医療は無料で、介護支援は日本と同じように認定制だが、「介護認定によって個人的に支援を依頼するのではなく、協同組合として公的介護支援を要請できるような方法を探りたいと思っています」と、ハイメさんは語る。

加えて、これからの高齢者のコハウジングでは、建物建設は行政が主導すべきだと、組合員代表のマノロさんは主張する。

「住まいを持つことは人の権利ですから、この住宅の建設費も、本来は国が負担し、私たちは賃貸料と生活費を払って自主運営するというのが、筋だと思います。トラベンソルの組合員の初期出資金だって、誰でも払えるというほど安くはないですからね」。

そうした住人の意見を含め、トラベンソルの情報は、独自のウェブサイトをはじめ、現地のテレビやラジオ、新聞、雑誌などでも紹介されている。ウェブサイトには、ほかの地域にある高齢者によるコハウジングのプロジェクトの説明もあり、それらのウェブサイトへのリンクも張られている。

第二の人生を豊かで生きがいのあるものにするための試みは、大勢の人に共有され、できる限りたくさんの場で議論に上ってこそ、未来に貢献するだろう。

カ・ラ・マーレを立ち上げ，ボランティアで運営を続けるジョバンナさん．

●誰もが活きる場所

すでに紹介したフロリダやアエイオルスもあるバレンシア市の南のカタロッチャ市に、二〇一七年五月、ユニークな社会的食堂を訪ねた。「カ・ラ・マーレ(母の家。Ca La Mare)」だ。町中の広場に面した建物の一角に、彼らが運営する食堂スペースと食料・日用品の地下貯蔵庫があった。

入り口を入り、食堂スペースを通り抜けて奥の階段を地下へ降りると、棚から床、そこいらじゅうに積み上がった食料・日用品に囲まれた部屋のすみに、眼鏡をかけた赤毛の女性が座っていた。このプロジェクトを始めたジョバンナ・ロドリゲスさん(四八歳)だ。

私たちの顔をみて、「ようこそ。よかったら、そこにある賞味期限切れの蕎麦やわさび、持って行ってくださいな。スーパーからもらったんだけど食べ方がわからないのよ」と笑う。周りに置かれた大量の品物は皆、彼女が街中の商店やスーパーマーケット、企業などをまわって、パッケージが破けている、消費期限が近いなど、何らかの理由で販売できなくなった商品の寄付を募ったものだ。他州から、料理を入れるためのプラスチックパックを寄付してくれる会社もある。彼女の夫やボランティアたちが輸送を手配し、ここに集めている。

「私自身は今、経済的に困ってはいないですから」。

ジョバンナさんは、一年三六五日、ボランティアとしてプロジェクト運営に奔走する。ある日、自分が経営していたレストランに現れた空腹を抱える移民少年に食事を出したのをきっかけに、この活動を始めた。今では夫も活動の仲間だ。

「(二六歳を筆頭に三人いる)子どもたちは、母さんはクレイジーだ、と笑いますけどね」。

カ・ラ・マーレでは、月曜から土曜までの毎日、貧窮する地域住民に、作りたての食事計四二〇食と、貯蔵庫に集められた食料品や日用品を配給していた。

「ここでは、食事やモノをもらいに来る人も、それを提供している人も、皆が同じ立場なんです。もらう側も、ただもらうのではなく、ここのボランティアとしても働く。それが家庭のような雰囲気をもたらしています」。

食堂では、二〇〇人以上いるボランティアのうちの何人かが働いていた。その中には、自分が食料支給を必要としている人もいれば、軽犯罪を償うための社会奉仕活動として関わる人(計三〇人)もいる。一般的にいう「支援者」とは異なるタイプのボランティアが多い。

「私は月四二〇ユーロ(約五万五〇〇〇円)というわずかな年金で、生活しているの。でも、とにかく人の役に立つことがしたいと思っていたので、カ・ラ・マーレにその機会をもらったのよ」。

厨房で調理を担当する女性（六四歳）が、うれしそうに話しかけてきた。

「何より、ここでは誰も命じない。皆、平等なの」と、誇らしげだ。

彼女の周りでは、男女五、六人が、パエリアやベイクドポテトなどを、巨大な鍋とオーブンで調理している。作るのに専念する人もいれば、できあがった料理をプラスチックパックに詰めていく人も。数が多い分、時間がかかり、厨房での立ち作業もちょっとした重労働だ。

食料・日用品を配るスペースには、頭をスカーフで覆ったイスラム教徒の母子や初老の男性など、いろいろな人が集まっていた。パックに詰められた料理と配給品を、順番に受け取っていく。受け取る側は持ってきた「登録カード」を出し、配る側はそのカードに受け渡し済みのチェックを入れる。それから渡すものの中身を確認してもらい、必要に応じて内容を調整する。イスラム教徒は豚肉は食べない、乳幼児がいる家庭は紙オムツが欲しい、といった具合に、世帯によってニーズが異なるからだ。その周りでは、訪れた人が互いの近況を語り合ったり、その場で食事をしたり、雑談を楽しんだりしていた。

カ・ラ・マーレでは、日々の活動に加え、月末には誕生会を開いたり、一万個を超える紙オムツで「ケーキ（の形）」を作るコンテストに出てオムツの寄付を獲得したり、三〇〇〇人分のパエリアを作ってギネス記録に挑戦したりと、楽しみながら活動を続ける工夫を重ねている。皆になるべく家族や友人、知り合いを連れて参加するよう、促す。そうやって、つながりを築いていくことが、弱者を救い、地域全体を豊かにすると信じるからだ。ジョバンナさんは言う。

「活動を始めた当初は、ここからモノを盗む人もいました。でも、長く続けるにつれて、少しずつ人々の間に信頼関係が生まれ、この地域での犯罪も減りました」。

人は信頼で結ばれた人間関係が存在する場においては、周囲を傷つけるような行為は滅多にしないということだろう。

カ・ラ・マーレにいると、文字通りどんな人も、支援する側・される側、指示する者・される者、できる人・できない人、といった特定の立場や役割、評価で分けられたり、縛られたりすることがない。その時々、自分ができることをしている。ただ作業を見守っているのもいい。その場にいるだけで、それぞれの存在が活かされる。だからこそ、誰もが笑顔になる。

実は取材の数カ月後、カ・ラ・マーレは引っ越しをした。寄付される品物の量が増え、活動に関わる人数も急増し、手狭になったからだ。が、その後に突然、市役所から団体としての活動許可手続きが不十分だというクレームが来て、遂には活動施設の一時閉鎖を余儀なくされた。仲間たちは市役所前で抗議集会を開き、早期の再開を求めたが、対応はなかなか変わらず、ジョバンナさんたちは一旦建物から退去し、手続きをし直すことになる。しかし、施設が使えるようになるまで食事の調理と配給はできなくとも、食料・日用品を集めて配ることは可能だと考え、車で必要な家庭を直接まわったり、近くの公園で配給をしたりし続けた。また、子どもたちがこの問題の影響を感じずに過ごせるように、誕生会などのイベントも継続する。

四カ月後、ジョバンナさんらが裁判所に異議を申し立てたことが功を奏して施設が再び利用できるようになり、全活動が再開された。ただし、活動許可証は依然として交付されていない。それで

ラ・ファジェーダは，カタルーニャの美しい自然の中にある．

も二〇二〇年一月現在、カ・ラ・マーレでは、およそ一七〇〇人に食事や物資を配ったり、職探しの手伝いをしたりしている。一七〇〇人のうちの七〇〇人はホームレス状態で、約三五〇人は一二歳未満だ。そのため、EUからも三カ月ごとに、三七トンの食糧支援が届くという。

ジョバンナさんは、近況を知らせるメールでこう決意を述べる。

「最も苦しい立場にいる人たちと繰り広げる闘いは、どんなことがあっても続けます」。

●狂気が歓待される場

バルセロナから高速道路を使って、北北西へ車で一時間半ほど走ると、自然公園に指定されている火山と森に囲まれたカタルーニャ州ジローナ県ウロットの町に着く。そこからさらに田舎道を南東へ一〇分ほど進み、緑深いブナの森を抜けると目の前に、牛たちが草を食む農場と近代的な工場、石造りの古

ラ・ファジェーダの創立者，クリストバル・コロンさん．

い農家を改修した事務所や作業所の建物が現れる。ヨーグルトで知られる社会的企業で消費者協同組合でもある「ラ・ファジェーダ（ブナの森。La Fageda）」だ。

「人は誰でも、尊厳を持って生きる権利があります。自分自身で自由と責任を感じてこそ、人間らしく生きられる。障がいを口実に、主体性を奪われてはなりません」。

そう信じる心理士のクリストバル・コロンさん（七〇歳）は、一九八二年、自らが働いていたジローナ県内の精神科病院の患者一四人とともに病院を飛び出し、妻で教育学者兼心理士のカルマさんの協力を得て、労働者協同組合「ラ・ファジェーダ」を創った。それは、誰もが「働く」という生きがいの持てる環境を創造するための挑戦だった。

「病院では、精神障がいを持つ者は、作業療法と称して、他人に決められた社会的にはほとんど無意味な作業をすることしかできませんでした。私たちは皆、自分の意思で意味のある仕事をしてこそ、生きがいを感じられる。そんな仕事を皆が責任を持って行なうことが肝心だと思い、会社ではなく協同組合にしたのです」。

スペインでは、一九八六年に精神医療が地域の医療福祉制度の一部へと移行するまで、精神科病院は（コロンさん曰く）「病人の倉庫」状態になっていた。日本では、いまだに精神科病院が数多く存在するが、イタリアでは七〇年代すでに大きな精神科病院は廃止され地域医療に組み込まれる流れに入っており、スペインはむしろ遅れていると、コロンさんは感じていた。だから、現状の変革を訴える意味も込めて、精神疾患を持つ者の権利を回復する小さな革命を起こしたのだ。

とはいえ、最初は聖像作りの下請けなど、工芸品製作に取り組んだが利益が上がらず、事業のためにコロンさん夫妻が自分の財産を持ち出すケースも頻発。問題だらけだった。が、その後、ウロットの市長の協力を得て、町の公園や緑地帯のガーデニングの仕事を請け負うことになってから、次第に事業が軌道に乗り始める。一九八四年には、その市長の口添えで融資を受け、自然公園の奥に広い農園を購入。国が進めていた植林プロジェクトの一環として、森林保護のために苗木を育成し植林する仕事を請け負うようになる。おかげで労働者も、三二人に増えた。

一九八七年からは、町のガーデニング事業に加えて牛を飼い（現在約三〇〇頭）、牛乳の生産・販売も始めた。しかし、牛乳は売る量によって販売権を支払わなければならなかったため、牛乳を原料にヨーグルトを生産する工場を立ち上げることに。それが成功する。

ラ・ファジェーダのヨーグルトは今や、その市場であるカタルーニャ州内で大手メーカーとシェアを争うほどの人気商品だ。少し高めの値段だが、自らの農場の牛のしぼりたて乳を使っている分、

ラ・ファジェーダのヨーグルト工場で作業をする労働者たち.

とても濃厚でクリーミーなため、ファンが多い。

コロンさんは言う。

「頭がおかしい人たちが、どうしてダノンやヨープレイと張り合うヨーグルトを作れるのか。そんな疑問をきっかけに講演を依頼してくる人が、世界各地にいますが、彼らには、こう伝えています。もし誰もが他者に対し寛容になり、相手がおかしな状態、正気とは思えない状況に陥っても、その人が同じ人間であることに変わりはないのだと理解できるようになれば、精神障がい者も、安心して生活し働くことができるのです、と」。

精神障がい者を「狂気の人」にしているのは、実は「周囲の反応」だ、とコロンさんは考える。精神に障がいを抱える人は、その特異な状況を周りが特別視し、差別することから、自分自身に恐れを抱く。そして問題から抜け出せなくなってしまう。仮に周囲が、自分にも理性的な時と混乱状態の時があるが、同じ人間であることに変わりはないのだから、精神障がいについても同様だと思えるようになれば、誰もが人間らしく生きられるはずということだ。

　実際、ラ・ファジェーダで働く人々(二〇一八年現在、労働者三〇〇人超、うち精神障がいを持つ人は約一三〇人)は、それぞれの性質や生活に適した形で、仕事をこなしている。以前は引きこもりがちだった人、精神状態を薬でコントロールしてきた人でも、ここに勤め始めてからは社交的になったり、薬の量が減ったりするケースが多い。

「私は、医者にパーソナリティ障害(妄想など、大多数の人とは異なる反応や行動をする精神疾患)だと言われ、子どもの頃から家に閉じこもって生活していました。だから、二二歳の時に担当の心理士から協同組合で働かないかと勧められた時は、正直、気乗りしませんでした」。

　ここで二〇年近く働いているラモンさん(四一歳)が、そう告白する。人付き合いの経験が希薄だった彼にとって、大勢の見ず知らずの人の間で働くことは、不安でしかなかった。しかし、ラ・ファジェーダでそれに挑戦したことで、彼の人生は変わる。

　最初は植林用の苗木作りに取り組み、その後、町のガーデニング、事務職など、異なる仕事を体験していく。一番楽しかったのは、二年間携わった「ツアーガイド」だという。ラ・ファジェーダでは、平日は小中学校の社会科見学グループを、土日には一般の家族連れなどの訪問を受け入れている。訪問者は、ガイドと一緒に牧場からヨーグルト工場までを見学し、最後に絶品ヨーグルトを味わう。この仕事を通して、ラモンさんは人との出会いのワクワク感を知ったという。

「いろいろな人と知り合いになるのは、とてもおもしろいです」。

　そう目を細める彼の表情に、引きこもっていた頃の姿は、もうない。近年は体調に合わせて一日

四、五時間の事務仕事を担当しているが、私たちが訪問する時はいつも、「あなたたちと話すのは楽しいから」と、ガイド役を買って出てくれる。

工場脇にある訪問客向けの店で、「ここでは無理なく、リラックスして働けるのがいい」と話すのは、レジ係をするホセさん(五一歳)だ。ソーセージ工場で働いていた時に重い鬱病を患い、薬なしでは生活できなくなっていたところ、ここでの仕事を紹介された。ラ・ファジェーダでは、自分にあった仕事や時間割を選べることはもちろん、地域の障がい者支援センターと連携するソーシャルワーカーと心理士が常駐しているので、誰もが安心して働いている。

安心して過ごせる職場は、障がいを持たないスタッフにも幸福感をもたらす。

労働者食堂の厨房を仕切るネウスさん(三四歳)は、ミシュラン一ツ星のレストランでシェフをしていたが、出産をきっかけにこちらへ転職した。今は自身の家庭生活にあったペースで働いている。

「ここでは適性の異なる人間同士が、和気藹々と働いています。その家族的な空気が好きです」。ラ・ファジェーダで働くことで、地位や名誉や利益追求だけが人生じゃないと感じた人は、ほかにもいる。

「自然に囲まれ、毎日牛や人と出会う仕事をするのは、本当に楽しいです」。

そう語るのは、元テレビ・ニュース記者のビクトルさん(三〇歳)だ。一年半前からツアーガイドをしている。

「以前は、頻繁に夜中の一時、二時に呼び出されては現場に駆けつけ、取材をし、会社に戻って数十秒のごく短いニュースを編集する生活をしていました。自分自身、あまり意義を感じない仕事

元テレビ・ニュース記者のビクトルさんは動物好き．今はラ・ファジェーダのガイドの仕事を楽しむ．

に疲れていたんです。そんなとき、この仕事の募集を見つけました」。

もともと動物好きな彼は、ガイドの仕事を心から楽しんでいる。ちょうど社会科見学で来た子どもたちに子牛について説明していた彼の顔は、優しい笑みにあふれていた。

現在、ヨーグルト工場とガーデニングという二つの事業で働く労働者の中には、薬物依存の問題を抱えた若者や、地域に居場所を見つけられずにいる若い移民もいる。彼らにとっても、居心地のいい職場のようだ。

ラ・ファジェーダには、一見バラバラでマッチしそうにない人間が、それぞれ自分の居場所を見つけ、ともに豊かな人生を育んでいる光景がある。コロンさんの妻カルマさんはその事業の理想を、こう表現する。

「そこにいる誰もが何かしらの面で成長し、人の狂気が歓待される場を創りたいのです」。

おわりに——つながりで築く「もうひとつの世界」

マドリードで、ある人気イタリア料理店を取材した。サッカーの名門クラブチーム、レアル・マドリードがよくピザの出前を注文するという店のオーナーは、イタリア人シェフのアンドレアさん。彼はイタリアで経営コンサルタントをしていたが、スペイン人女性と恋に落ち、マドリードへ引っ越してきた。そして、近所のイタリア料理を食べに行った際、スパゲティ・カルボナーラがあまりにまずかったので、「自分で作ろう！」といきなりレストランを始める。今では人気店となり、大勢の有名人が訪れる。その厨房で働く移民の若者たちが、私たちの取材対象だった。

アンドレアさんは、ある財団が実施する移民の若者を支援するプロジェクトに参加し、モロッコとバングラデシュから来た青年二人を雇っている。彼らは、仕事初日から「低賃金の見習い」ではなく、正規の給金を得る「スタッフ」として働いている。同僚スタッフは、全部で二〇人。うち六人がスペイン人で、あとは皆、移民だ。

「仕事は面白いし、ここで働き始めてから生活が安定しました」。

厨房でピザを焼く青年は、穏やかな笑みを浮かべる。と、すぐそばで作業をする職場仲間のフィリピン人夫妻が、「この子たちは、とても働き者なんですよ」と、わが子のように自慢する。そこは、まるで大家族のキッチンのような雰囲気。フロアで接客をするキューバ人やスペイン人のスタッフも、ゆったりと仕事をこなす。

マドリードのイタリア料理店ドン・ジョバンニのオーナーシェフ，アンドレアさん（中央の眼鏡の人）と厨房のスタッフ．左端が移民青年２人だ．

「どの仕事をするかは、各自が自分で選んでいます。仕事はやらされるのではなく、好きでやらなきゃね」。

そんなアンドレアさんの方針の下、幅広い世代の多国籍な人たちが生き生きと働く。まさに多様な人間が、つながりの中で、それぞれの生きがいを持って未来を切り開いているようだ。

欧米のほかの地域と同じように、スペインでも、移民の流入は、大きな社会問題となっている。資本家や政治家ら、グローバル資本主義の牽引者たちは、自らが生み出してきた「格差」の原因を移民に押し付けることで、人々の不満を他者へと向かわせ、不平等を生み出している経済システムそのものの問題を覆い隠してきた。そのために、経済格差は解消されず、人間同士の対立は深まっている。しかし、そうやって進行する人間社会の分断が、私たち皆にとって大きなマイナスであることは、ここで語ってきた事例を見れば、明らかだ。

既存の資本主義は、人間をも「労働力」という「商品」に変え、すべてを効率よく取引することで、資本家ばかりに富を集める非人間的な経済システムを作り上げてきた。その結果、格差容認の世界や、気候変動による地球の危機がもたらされた。今のやり方を変えなければ、誰にとっても居心地の悪い、生きづらい世界ばかりが拡がっていく。下手をすれば、「生きづらい」どころか、「生きられない」世界を生むことになる。それに気づいた大人が、若者が、子どもたちが、世界中で行動を起こしている。

この地球で生きていきたいと願う子どもたちは、「ストップ温暖化」、「気候は変えず私たちが変わろう」と訴える。既存の政治と社会のあり方に疑問を持った若者たちは、「民主主義って何だ」と問いかける。平和で平等な社会を築くはずが道を誤ったと気づいた大人は、「反原発・核兵器」や「社会的連帯経済の推進」に力を入れ、経済学者の一部も、「資本主義における倫理を見直そう」と声を上げている。世代、性別、人種、国籍など、あらゆる面でバラエティあふれる人たちが、互いに関心を持ち、知り合い、つながり、語り合い、支え合い、行動していくことで、真に豊かな未来への道を築こうとしている。

そもそも生物は、種の多様性を保つことによって、絶滅を逃れ、自らの生存を保障してきたという。つまり、地球は、その環境の多様性が保たれてこそ、私たちの故郷であり続けることができ、私たちの未来もまた保障されるのだ。だとすれば、私たちは、経済発展のためなら環境を犠牲にするのも止むを得ないと考える権力者たちに、はっきりとノーを突きつける人間を、もっと増やさなければならない。

権力者は、人間の多様性も好まない。自分の富が守られ増やされる社会を保つには、皆が自分たちと同じように、たとえば「経済成長の役に立つ人間こそナンバーワンだ（経済成長に役に立たない人間は存在価値が低い）」と考える方が、都合がいいからだ。だが、本来、多少面倒でも多種多様な人と過ごし、時に語り合い、議論し、つながりを持っている方が、人は精神的にたくましく自由になり、豊かな社会が築かれる。私たちの未来に希望を描くためには、権力者の都合で作られた社会の枠組みが押し付けてくる無知と無関心から解き放たれ、多様性を豊かさに変えていこうと考える人間を、もっと増やさなければならない。

教育（学校）は、経済（競争）と切り離し、フランシスコ・ファトゥ小学校教員たちの言葉のように「人を育てる場」とすること。子どもは学校、大人は職場、○○人はこちら、○○な人はあちら、と世代や人種や性質などによって生活空間や人間関係を分けるのではなく、家庭や地域を含むすべての場所を、違いを前提としたさまざまなつながりの中で過ごす空間にすること。そこでは勉強や仕事、生活の悩み、趣味、政治、哲学、文学、望めば何でも語り合えること（無論、黙ってそこにいるだけでもいい）。大学進学と企業への就職という道だけでなく、あらゆる人生の道筋、生き方が肯定されること。そして、その生き方を保障する民主主義に基づく政治・経済・社会制度を築くこと。これらすべてが、現在の日本には欠けており、その事実が生きづらさを生み出しているように思う。逆に言えば、これらをひとつずつ実現していけば、誰もが安心して生きられる、生きたいと思える「もうひとつの世界」が立ち現れるだろう。

人間の労働の多くが人工知能に置き換えられようとしている時代に、改めて思う。私たちの生の価値は、そのユニークな多様性とつながりが生み出す豊かさの中にこそある、と。お金があろうがなかろうが、世の中が求める「能力」があろうがなかろうが、他人と違っていようが、人は本来、つながりの中にいさえすれば、生きる道を見つけられる。むやみに環境を破壊するような生活様式も経済活動も、必要としない。一人ひとりが、そのつながりの中に身を置きながら、自分らしい学び方や働き方、生き方を築いていくことができれば、そうした人間が集まる世界の姿は、真に寛容で豊かなものになるだろう。

ここで出会ったスペインの市民や、同じ思いを抱き行動している世界の人々とともに、私たちも、子どもから大人まで幅広い市民とつながり、語り合い、議論し、意識変革を起こしながら、「もうひとつの世界」への道をしっかりと描き、歩んでいこう。

本書に登場する主な市民政党・組織、政策プログラム、補完通貨、社会的連帯経済関係の組織・団体のウェブサイト

第Ⅰ章

第一節

ポデモス　Podemos　https://podemos.info/?lang=en（英語あり）

エル・ソル・デ・ラ・コンセ　El Sol de La Conce　https://elsoldelaconce.com

デシーデ・マドリード　Decide Madrid　https://decide.madrid.es

第二節

メホレモス　Mejoremos Alternativa Ciudadana　https://www.facebook.com/mejoremos.mejorada/

アグア・デ・マヨ　Agua de Mayo　https://asociacionaguademayo.org

静岡県立大学津富教授のお勧めの日本の社会的連帯経済関係サイト二つ

社会的企業研究会　http://sse.jp.net/　社会的連帯経済を推進する会　https://www.ssejapan.org

第Ⅱ章

第一節

時間銀行発展協会　Asociación para el Desarrollo de los Bancos de Tiempo　http://adbdt.org

ポン・ダル・ディモニ　Banc del Temps Pont del Dimoni　http://www.bdtpontdeldimoni.com

インテルティエンポ・リバス　Intertiempo Rivas　http://www.bancodeltiemporivas.org/index.php

ミヌッツ　Minuts　https://minuts.cat

ラ・コラボラドーラ　La Colaboradora　https://www.zaragoza.es/ciudad/sectores/activa/lacolaboradora/

第二節

ラ・モラ　La Mola　https://www.monedamola.com

ティエネス・サル　Tienes Sal　https://tienes-sal.es

第三節

時間銀行グローバル・ネットワーク　Red Global de Bancos de Tiempo　https://redglobalbdt.wordpress.com

ナルク横浜　http://www.nalc-hama.net（特定非営利活動法人ナルク http://nalc.jp）

第Ⅲ章

第一節

ルリベラ　L'Olivera　http://www.olivera.org/php/index.php（英語あり）

フロリダ　Florida　https://www.florida.es

マユー・コーペラティーバ　Mayú Cooperativa　https://mayucooperativa.org

アエイオルス　aeioLuz　http://aeioluz.com

一般社団法人　協同総合研究所　https://jicr.roukyou.gr.jp

第二節

ソム・アナルジーア　Som Energia　https://www.somenergia.coop/es/

ソム・クナクシオ　Som Connexió　https://somosconexion.coop

ラ・カオティカ　La Caótica　https://caotica.es/caotica/

第三節

ラ・シウタットゥ・インビジィブラ　La Ciutat Invisible　https://www.invisible.coop/en/（英語あり）

シェス　XES　http://xes.cat/es/

ラ・ボルダ　La Borda　http://www.laborda.coop/en/（英語あり）

レアス　REAS　https://www.reasred.org

キンタ・デル・ソルド　Quinta del Sordo　https://quintadelsordo.com

サラゴサ大学社会的経済研究所　Laboratorio de Economía Social de la Universidad de Zaragoza
https://labes-unizar.es

社会的経済スペイン企業連合（CEPES）　https://www.cepes.es（英語あり）

日本労働者協同組合（ワーカーズコープ）連合会　https://jwcu.coop

第Ⅳ章

第一節

マレア・ベルデ（マドリード）　Marea Verde（Madrid）　http://mareaverdemadrid.blogspot.com

第二節

トラベンソル　Trabensol　https://trabensol.org

カ・ラ・マーレ　Ca La Mare　http://asociacioncalamare.org

ラ・ファジェーダ　La Fageda　http://www.fageda.com/es/

あとがき

「父さんが（市民運動）15Mのデモや集会に参加してる写真、何か持ってない？」

二〇一八年秋、15Mで生まれた市民インターネットテレビの撮影班だったサキアさんから、SNSでそんなメッセージが届いた。彼女は、私たちが初めて15Mの取材をした時に知り合ってからずっと、ラ・コンセ地区の運動の先頭に立ってきたホセさん（第I章第一節に登場）の愛娘だ。病で父親の命が、まもなく尽きるという。彼には春に会ったばかりなのに……。サキアさんと地区の仲間たちは、彼の死後、写真と映像を交えたお別れ会を開くために、素材を集めていた。約一カ月後、「巻き毛よ、永遠に」というタイトルのお別れ会のポスターの写真が、送られてきた。巻き毛と黒い革ジャンがトレードマークでビールが大好きなホセさんは、陽気で人懐こい活動家だった。

思えば、彼との出会いは、私たちの八年に渡るスペイン市民運動と社会的連帯経済の取材のスタートにおける、大切な出来事のひとつだった。その取材は、彼が私たちの前から姿を消した後も続き、この本が生まれた。

ホセさんとの出会いのシーンも書いた前著『ルポ　雇用なしで生きる』は、私の人生を大きく変えた。人との多様なつながりを生み出し、これまで見えなかったもの、出会わなかった人との新たな関係をもたらしてくれたのだ。スペインでのつながりを豊かにしてくれたのはもちろんだが、それ以上に日本での世界が開けたというのが、私にとって予期しなかった喜びだ。

五、六年前の私は、ワーカーズ・コレクティブ（藤木千草さん、お世話になっています！）やワーカーズコープに関わるみなさん（相良孝雄さん、取材へのご協力助かりました！）と協働できることがあるとは、夢にも思わなかった。静岡県立大学の津富先生や学生たちとスペインを旅するなんてことも、パブロさん夫妻とともにナルク横浜を訪ねることになるとも、想像しなかった（吉川武さん、福江孝夫さん、ありがとうございました）。ほかにも、それまであまり縁のなかった教育、社会福祉などの関係者らバラエティに富んだ人々から声をかけていただき、つながることができた。それこそ、わが身のまわりに築かれはじめた「もうひとつの世界」への道だ。

『ルポ　雇用なしで生きる』の続編ともいうべき本書が、さらに多くの未だ見ぬ人とのつながりを、私自身はもちろん、読者のみなさんすべてにもたらすことを大いに願う。この、新たな「つながりを創る」機会を与えてくださった編集部と担当編集者の田中朋子さん、本書のたたき台となる連載を掲載してくださった『世界』編集長の熊谷伸一郎さんに、心から感謝する。また、前著に続いて取材の力になってくださったスペイン・社会的通貨研究所共同創設者の廣田裕之さん、時間銀行発展協会のフリオ・ヒスベールさん、メホラーダ・デル・カンポの市民政党メホレモスのみなさんにも、ミル・グラシアス！　そして、スペイン取材の「定宿」ファミリーのロサ&セルヒオ一家、わがパートナーで本書の写真を担当した篠田有史に　ウン・アブラッソ・ムーイ・フエルテ！

二〇二〇年二月二七日

工藤律子

工藤律子

1963年大阪府生まれ．ジャーナリスト．東京外国語大学修士課程在籍時からスペイン語圏やフィリピンを中心に，市民運動や貧困問題などの取材をはじめる．ボランティアで運営するNGO「ストリートチルドレンを考える会」の共同代表として，スタディツアーなどを実施している．『マラス——暴力に支配される少年たち』(集英社，2018年に集英社文庫化)で2016年，第14回開高健ノンフィクション賞受賞．その他の著書に，『仲間と誇りと夢と　メキシコの貧困層に学ぶ』(JULA出版局，2002年)，『マフィア国家——メキシコ麻薬戦争を生き抜く人々』(岩波書店，2017年)など．本書は，労働・教育分野などで幅広い読者を得た『ルポ　雇用なしで生きる——スペイン発「もうひとつの生き方」への挑戦』(岩波書店，2016年)の続編．

ルポ つながりの経済を創る
——スペイン発「もうひとつの世界」への道

2020年4月15日　第1刷発行

著　者　工《く》藤《どう》律《りつ》子《こ》

発行者　岡 本　厚

発行所　株式会社 岩波書店
〒101-8002 東京都千代田区一ツ橋2-5-5
電話案内 03-5210-4000
https://www.iwanami.co.jp/

印刷・理想社　カバー・半七印刷　製本・牧製本

ISBN 978-4-00-001412-0　Printed in Japan